濃い内容がサクッと読める！

先読み！ IT×ビジネス講座

CONVERSATIONAL AI

チャットジーピーティー

Chat GPT

株式会社デジタルレシピ
取締役・最高技術責任者
古川渉一

聞き手:ITライター
酒井麻里子

対 話 型 AI が 生 み 出 す 未 来

インプレス

　従来のインターネットのビジネスモデルを揺るがす可能性を持った技術が今解き放たれようとしています。それはChatGPTをはじめとした人間のように会話することができる対話型AIです。本書のメインテーマである2022年11月に公開されたChatGPT、MicrosoftのBing AI、そしてGoogleのBardなど、メディアでは連日のようにAI関連のニュースが報道されています。今ある仕事はなくなってしまうのか？ 検索エンジンはなくなるのか？ といったセンセーショナルな見出しのニュースも少なくなく、企業だけではなく、多くの人がこの対話型AIの進化に関心を寄せているのではないかと思います。

　ところであなたは「AI」と聞いたときにどのようなものをイメージしますか？ ドラえもんのような、親しみがあって悩んでいるときには一緒に悩み寄り添い、不思議なひみつ道具を使って困りごとを解決してくれるものでしょうか。自分から仕事を奪ったり、人間にとって脅威となったりするようなものでしょうか。はたまた家電のような単なる道具に過ぎないようなものでしょうか。自分がわからない未知のものに対して過度に期待をしたり、過度に恐怖したりすることは誰しも同じです。とくにここ数年のAIの発展は凄まじく、研究者や技術者ですら驚くようなできごとが起こっています。

AIを正しく理解し、共存する

　では、そのような環境下で私たちはどのようにAIと向き合えばよいのでしょうか？ 私はAIを正しく理解することが大事だと考えています。

ここでいう理解とは、なにも技術や歴史を正確に把握する必要がある、という意味ではありません。たとえば、毎日当たり前のように使っているスマホやエスカレーターや電車、自動車ですらもその詳細な技術や歴史を知っている人はほとんどいないでしょう。どのように使うと便利なのか、何をすると危険なのか、できることとできないことの違いを知り、使いこなすことで、日々の生活に役立てているはずです。本書はChatGPTのような対話型AIができること、今はまだできないことなどの概観をその背景とともに理解できるような書籍になっています。

私、古川渉一は株式会社デジタルレシピというAIベンチャー企業で取締役CTO（最高技術責任者）を務めています。本書のメインテーマであるChatGPTの開発組織、OpenAIが提供するAIを活用した文章生成サービスCatchyの開発を行っており、すでに国内5万人以上の方々にご利用いただいております。そうしたサービス開発の知見も踏まえ、本書には技術とビジネスの両サイドの知識をバランスよく盛り込んでおり、これからAIについて勉強したい方、ChatGPTを活用して仕事に役立てたいと思っている方に最適な書籍となっております。

AIの技術的な説明に関しては数式や専門用語は極力使わずに、大まかに基礎となる知識を把握できるような説明を心がけています。また既存ビジネスに対話型AIをどのように活用できるのか、新規ビジネスの可能性はどのようなところにあるのか、といった点を最新事例や具体的なサービスを紹介しながら会話形式でわかりやすく紹介しています。

最後になりますが、本書と出会ったすべての方が、すぐそこにまで来ているAIと共生する未来のイメージを持ち、自分の仕事や生活がより便利に、より楽しくなりそうと思っていただけたなら、これ以上の喜びはありません。

古川 渉一

CONTENTS

Chapter 3 対話型AIはどんな技術で成り立っている？　63

Chapter
4 ビジネス活用の事例とポテンシャル

ChatGPTで、世の中はどう変わる?

■ 登場直後から爆発的な人気となった対話型AI

2022年11月末に発表された対話型AIのChatGPTは、登場からわずか5日でユーザー数が100万人を突破し、2023年1月には月間アクティブユーザー数が1億人を超えたといわれるなど世界中から大きな注目を集めています。さらに、本書制作中の2023年3月中旬には、次世代モデルである「GPT-4」が登場間近であること、そしてGPT-4はテキストだけではなく、画像や動画を扱えるといったことが報道されています。対話型AIは、文字どおり目まぐるしい進化を遂げつつある分野なのです。

ChatGPTでは、チャット形式の画面に質問などを入力すれば、まるで人と会話をしているように答えが返ってきます。そして、そのようにして生成されるテキストの精度の高さや自然な言葉づかいなどが高く評価されています。「AIでここまでできるようになったのか!」と驚いた方は多いのではないでしょうか。

ただし、「どんなことでも答えてくれる夢のツール」というわけではありません。実際に使ってみるとすぐにわかりますが、間違った答えやかみ合わない回答が返ってくることも少なくないのです。

■ 文章生成AIをよく知る専門家に教えてもらいました

そんなChatGPTとうまくつき合っていくにはどうしたらよいのでしょうか? 本書では、日本語の文章生成AI「Catchy」を手がける株式会社デジタルレシピでCTOを務める古川渉一さんにお話をうかがっています。Catchyは、ChatGPTの開発元であるOpenAIの言語AIモデル「GPT-3」を使ったツール。ChatGPTのブーム以前からAIによる文章生成の可能性に注目し、開発に携わってきた古川さんに、ChatGPTの基本から、より有効に使うための質問のコツ、技術的なしくみやビジネス活用における可能性などを詳しく教

えていただきました。

また、ChatGPTを使うにあたっては避けて通ることのできない「生成結果が正しいとは限らない」「最近の話題に対応できない」といった問題や、権利侵害や悪用のリスクなどのネガティブな側面にどう向き合うかについても聞いています。

さらに、今後生成系AIが進化したときに、人間はAIとどう共存していけばよいのか、AIが人間の仕事をある程度代行できるようになったときに、人間は何をするべきなのかについても踏み込んでいます。

■ Microsoft や Google も対話型 AI に注目

そして対話型AIは、ChatGPTだけではありません。2023年2月にはMicrosoftが検索エンジン「Bing」に、ChatGPTの進化版ともいわれるモデルを使ったAIチャットを搭載。その発表と1日違いでGoogleも対話型AIを発表するなど、ビッグテックも対話型AIに注目し、開発を進めています。インターネットが普及して以来、当たり前のようになっていた「わからないことはネットで検索する」という行動に「チャットでAIに聞く」という新しい選択肢が加わり、多くの人たちの行動に変化をもたらしつつあります。

今後はさらに多様なAIツールが登場し、ビジネスでもプライベートでも、日常のさまざまな面でAIを使うことが当たり前になっていくことは間違いなさそうです。そんな時代に、「人間の立場を脅かす存在」ではなく、「自分を助けてくれる存在」としてAIを活用し、共存していくために必要なことをしっかり教わっていきたいと思います！

登場人物

聞き手
ITライター
酒井麻里子さん

株式会社デジタルレシピ
取締役・最高技術責任者
古川渉一さん

ブレイクスルーを
起こした
対話型AI

今大注目の対話型AI
「ChatGPT」とは?

■ 登場直後から大きな注目を集める

チャット形式の画面で簡単に文章を生成できる「ChatGPT」（チャットジーピーティー）は、2022年11月末に登場するやいなや、世界中から大きな注目を集めました。人間同士の会話のような自然な答えが返されることや、生成される文章のクオリティが人間の書いたものに負けないレベルに達していることから、SNSでは「こんな答えが返ってきた」「こんな文章を生成できた」と生成結果を報告するユーザーからの投稿が相次ぎました。

リリースからわずか5日で、ユーザー数は全世界で100万人を突破。さらに、23年1月には、MicrosoftがChatGPTの開発元であるOpenAIに数十億ドルの出資を行うことも発表されました。

一般ユーザーからみると、突然話題になったChatGPTは彗星のごとく現れた新サービスのような印象を受けるかもしれませんが、ChatGPTのベースとなるAIモデルの「GPT-3」は、2020年に発表されています。また、海外ではGPT-3を使った文章生成のAIサービスも数多く作られています。ChatGPTがそういった既存の文章生成AI以上に大きな注目を集めたのは、無料で誰でも使える形でサービスが公開されたこと、そして、自由度の高い会話ができることに要因があるでしょう。「いかにもAI」という感じのどこかぎこちない答えではなく、人間同士でおしゃべりしているようなやりとりができ、さらに前の会話を受けて会話を続けることも可能になったことで、さまざまな用途で活用できる可能性が生まれました。

朝、起きるのが苦手なんだけど、早起きのコツを教えて ➤

▼

朝、起きるのが苦手なんだけど、早起きのコツを教えて

早起きのコツとしては、次のようなことがあります。 👍 👎

1. 夜の前にゆっくりリラックスすることで、睡眠の質を改善します。
2. 定時に寝る・起きるように生活リズムを整えます。
3. 適度な運動や日光浴を取り入れます。
4. モチベーションを上げるための目標設定や、早起きの利点について考えることも有効です。

1-0-1 ChatGPTでは、ほかのチャットツールなどと同じようにメッセージ（質問）を入力して送信すると、それに対する回答という形で文章が生成される（ChatGPTの実際の使い方は第2章で解説しています）
https://chat.openai.com/chat

■ 画像生成AIブームで受け入れの土壌が育っていた

　「AIが文章を書く」というツールが世の中にすんなり受け入れられた背景には、2022年夏頃から注目を集めるようになった画像生成AIの存在も大きく影響しています。「AIで人間に匹敵するクオリティのものを作れる」という認識が広まっていたこと、AIで何かを作り出すことに対する心理的な抵抗が薄れていたことで、「画像の次は文章か！」という感じで、大きな違和感なく受け入れたユーザーが多かったと考えられます。

　もちろん、現時点のChatGPTは万能ツールではなく、誤った答えを返すこともあれば、かみ合わない会話となってしまうこともあります。それでも、これからの仕事や生活に大きな影響を与えるツールとなる可能性を秘めていることは間違いありません。

　第1章では実際にいくつかの文章を生成しながら、ChatGPTが注目されている背景や、どんなことができるのか、既存の文章生成AIとの違いといった、ChatGPTの基礎知識を学びます。さらに、ChatGPT登場までの流れや、チャットボットやSiriなどの対話形式でやりとりできるほかのツールとの違いについても知ることができます。

なぜ今「会話で文章を作る AI」が注目されているの?

チャット形式で人間同士の会話のような感覚で文章を作成できる AI「ChatGPT」が注目を集めています。AI サービスを提供する会社の CTO を務める古川さんに、ChatGPT が話題になった背景などをうかがいました。

■ 一般ユーザーがすぐに使える対話型 AI

さっそくですが、今、**会話形式で文章を生成してくれる AI「ChatGPT」** がとても注目されています。急に話題になって一気に広まった印象がありますが、どんな経緯で登場したんですか?

ChatGPT は AI の研究開発を行う **OpenAI** という団体がリリースしました。じつは ChatGPT 登場以前の OpenAI は、テキスト生成に関しては API や少し複雑な設定が必要な動作環境を提供するのみで、ChatGPT ほど手軽に使えるサービスは出していなかったんです。

API（Application Programming Interface）は、プログラムを外部のアプリケーションに組み込むためのしくみ。API を利用することで、そのプログラムを使った自社サービスの開発などが可能になる。

限られた人しか使えないものだったのが、一般ユーザーが使える形のサービスが登場したことで、注目を集めたという感じですか?

そうですね。ChatGPT がリリースされたのが、2022 年の 11 月 30 日ですが、**わずか 5 日で全世界でユーザー数が 100 万人を突破**するなど、世界的に非常に注目されました。日本語で使えるということもあって、日本国内でも大きな話題となったという感じですね。

ユーザー数の増え方から、登場すると同時に本当にすごい勢いで広まったことがわかります。新しいものがそこまでのスピードで世の中に受け入れられた理由はなんだったんでしょう？

画像生成AIブームが背景にあると思います。2022年夏頃から、Stable DiffusionやMidjourneyといった一般ユーザーが利用できる画像生成AIのサービスが登場し、SNSなどでもたくさんの画像が共有されました。

画像生成AIとは、文章やキーワードを入力するとそこから想起される画像を生成するAIのこと。Stable Diffusion（ステーブルディフュージョン）やMidjourney（ミッドジャーニー）が有名。

「AIが描いた絵」を見かけることが増えましたね。「これまで人間が作っていたものを、AIが作る」ということに抵抗が少なくなっていたかもしれません。

そうですね。**画像生成AIを通して受け入れの土壌ができていた**ことで、テキストを生成するChatGPTも比較的好意的に受け止める人が多かったのではないかと思います。

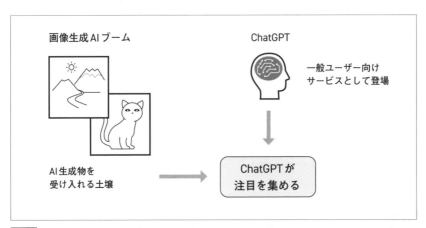

`1-1-1` 画像生成AIブームで「AIの生成物」を受け入れる土壌ができていたところに、一般ユーザーが使えるサービスが登場したことで注目された

■ ベースになっているのは「GPTモデル」

ChatGPT登場以前にも、開発者向けにはツールが提供されていたとのことですが、それはどんなものなんですか？

「GPT-3」と呼ばれるAIモデルのAPIが提供されています。ちなみに、ChatGPTで使われているのは、これの改良版にあたる「GPT-3.5」といわれるモデルになります。

ChatGPTと同じ「GPT」がつきますね。これはどういう意味なんでしょう？

「Generative Pre-trained Transformer」の頭文字で、Generativeは「生成」、Pre-trainedは「事前学習」を意味する単語、「Transformer」はAIの学習モデルの1つです。

Generative	Pre-trained	Transformer	→	事前学習モデル
生成	事前学習	学習モデルの種類		

1-1-2 「GPT」はOpenAI社が提供するAIモデルの名称で、「事前学習モデル」という意味

なんだか難しそうですね。**従来のAI開発とはどう違う**のでしょうか？

ラーメンに例えるなら、本格的にスープや麺を作るのが従来のAI開発、カップラーメンがGPTモデルだと考えてください。

本格的にラーメンを作ろうとしたら、骨からスープをとって、麺を打って……と手間のかかるプロセスが必要になります。これが従来のAI開発のイメージということですね。

そうですね。AIモデルを開発するには、大量のデータをAIに学習させて、AIを賢くしていくプロセスが必要になりますが、これには多くの時間と手間が必要です。

それに対して、ラーメンでいえばお湯を注げば食べられる状態になっているものがGPTということですか？

そのとおりです。**Web上の大量のデータを学習済みで、ある程度賢い状態になったものがGPT-3**などのモデルです。APIは、それを使って自由にサービスを作ってくださいというものですね。

`1-1-3` 従来のAI開発が本格ラーメンだとしたら、事前学習モデルは、カップラーメンのようなもの。すぐにサービス開発に使うことが可能

手間のかかるAIサービスの開発を行いやすくするために提供されているのがGPTモデルで、開発者はそれを使ってサービスを開発していたということですね。

そうですね。ただし、GPTモデルそのものはあくまでも開発者向けのもので、一般ユーザーが直接使えるものではなかったのが、ChatGPT登場以前の状況でした。

そこに**誰もが使えるサービス**であるChatGPTを開発元のOpenAI自らが出したことで、**一般の人にとっても身近なものになった**んですね。

ChatGPTが作り出す文章を見てみよう

ChatGPTでは、会話形式でのやりとりを通して新しいアイデアを得たり、メールなどの文章の下書きを作成したりできます。ここでは実際の生成結果から、ChatGPTがどんなものか見てみましょう。

人間のような自然な会話ができる

ChatGPTでは、**具体的にどんなことができる**んでしょうか？

何か質問をすると、それに対して答えを返してくれます。実際にChatGPTに早起きをするためのコツを聞いてみましょう。下のように、普通に友達とメッセージをやりとりするように入力します。

> 朝、起きるのが苦手なんだけど、早起きのコツを教えて ➤

その答えが下の画面ですね。質問を送信すると、すぐにAIからの返答が出力され始めるんですね。かなり具体的だし、内容も的確という感じがします。

 朝、起きるのが苦手なんだけど、早起きのコツを教えて

早起きのコツとしては、次のようなことがあります。　👍 👎

1. 夜の前にゆっくりリラックスすることで、睡眠の質を改善します。
2. 定時に寝る・起きるように生活リズムを整えます。
3. 適度な運動や日光浴を取り入れます。
4. モチベーションを上げるための目標設定や、早起きの利点について考えることも有効です。

ChatGPTのすごいところは、1往復で終わりではなくて、連続して会話ができることなんです。3つ目の「適度な運動」について、何をすればいいのか詳しく聞いてみましょう。

> 適度な運動は、どのようなものがおすすめですか？　　　　　　　　　　　　　　✑
>
> 🟢 適度な運動としては、次のようなものがあります。　　　　　　　　　　　🖒 🖓
>
> 1. 散歩やジョギング: 空気を吸いながら、体を動かすのに適しています。
> 2. ステップアップ: 家でもできる運動で、カロリー消費ができます。
> 3. ヨガやストレッチ: リラックス効果があり、睡眠の質を改善します。
> 4. スイミングや水泳: 大きな運動量で、心身ともにリフレッシュできます。
>
> ただし、運動の量や強さは個人差があるので、自分に合った運動を選ぶことが大切です。また、運動は健康的な生活の一部であり、過剰な運動は避けるべきです。

運動についての具体的なアドバイスが戻ってきました。4つ目の「スイミングや水泳」という部分がちょっと変ですが、全体的に言葉づかいにも大きな違和感がないですし、本当に**人と会話をしているような感覚**です。

そうですね。1回の質問で返ってきた答えをそのまま生成結果として使うというよりは、対話を繰り返して発想を広げていく、壁打ち相手のような使い方で強みを発揮します。

■ 文書作成などは手直しが前提

今試したのは相談をするような用途でしたが、たとえば**仕事で使う文章をChatGPTに作ってもらう**こともできますか？

ChatGPTのような**AIだけで完成形の文章を作るのは現状では難しい**ので、ChatGPTで下書きを生成して、人の手で仕上げをするといった使い方になりますね。試しにメールの文章を作ってみましょう（次ページの画面）。

以下の内容でメールの返信を作成してください

・営業を断るメール。
・先日提案いただいた「システムA」について、導入を見送りたい。
・理由は、現状ではコスト的に厳しいこと、弊社では必要のない機能が多いこと。
・提案してくれたことには感謝します。

「Subject: 導入の見送りについて」

拝啓、

先日は「システムA」の提案をいただきありがとうございました。
残念ながら、現状ではコスト的に厳しいため、導入を見送ることになりました。また、弊社では必要のない機能が多いため、それらを除いての導入を考えることもできません。

提案してくれたことには感謝しております。
今後ともどうぞよろしくお願いいたします。

敬具

 たしかに**手直しは必要**ですね。でも、下書きがあるだけで、メール作成がかなり楽になりそうです。

ただし前提として覚えておきたいのが、「**ChatGPTは間違ったこともたくさんいう**」という点ですね。

 えっ、そうなんですか……？

間違った内容を、まるで正しいかのような言い回しで返してくる場合もあるんです。AIの答えをそのまま信じるのではなく、必ず内容が正しいかどうかを確認することが必要です。具体的な注意点は、第5章で詳しく説明しますね。

 AIに丸投げするのではなく、**手直しやファクトチェックを前提に活用するツール**ということなんですね。

Chapter1
3

ChatGPTは何がすごいの？

ChatGPTは、従来から存在していた文章を扱うAIや、ChatGPTのベースとなっているGPT-3と比べてどのような点が優れているのでしょうか？ 具体的な強みについて知りましょう。

■「抽出」ではなく「生成」できるのが強み

実際に試してChatGPTの性能の高さがわかってきました。文章を扱うAIはこれまでもあったと思いますが、それらと比べてChatGPTは**どんなところが優れている**といえるのでしょうか？

連続した会話をスムーズに行えることと、生成される文章のクオリティの高さですね。より注目されるべきは文章を生成する部分だと思います。なぜかというと、従来の言語を扱うAIの多くは、既存の情報から何かを抽出する用途がメインだったためです。

たくさんのテキストの中から、必要なものを見つけて抜き出してくるような使い方ですか？

そのとおりです。たとえばAIを活用して決算速報のニュース記事を作成するサービスでは、AIは主に、企業の決算資料から重要な情報を抽出する作業を担っています。

「資料のなかのどこに売上が記載されているか」を学習しているAIが、売上の数字を抜き出してきて、用意された記事のテンプレートに当てはめるようなイメージでしょうか？

そうですね。実際はもう少し複雑になるかもしれませんが、あくまでも抽出・要約を行うもので、新たな何かを作り出していたわけではなかったんです。

1-3-1 従来のテキストを扱うAIは、文章の抽出や要約がメインだった。ChatGPTなどの生成AIは、新たな文章を作り出せる

ChatGPTの場合は、前項で試した「早起きのコツ」の具体策のように、新しい情報が出てきますね。

ChatGPTなどのGPTモデルは、「早起きがしたい」だけの情報から、具体的な方法を回答できるように、**少ない情報を膨らませて新たなテキストを生成する**ことが可能です。これがChatGPTが実用面で期待されている理由の1つです。

■ ChatGPT は間違いを指摘できる

ちなみに、GPT-3とChatGPTで性能面に違いはあるんですか？

ChatGPTは、「間違いを間違いといえる」「前提を否定できる」という点で、従来のGPT-3から進化しています。たとえば、次の画面はGPT-3をベースにしたAIサービスの「Catchy」で、「プラスチックは、美味しくたべられますか？」と質問した場合の回答です。

> プラスチックをおいしくすることは、プラスチックが食品でないためできません。しかし、プラスチックに砂糖やシロップ、スパイス、オイルなどの食品用製品をコーティングすることで、接触する食品の味を引き立てることができます。さらに、製造工程でプラスチックに香料を添加することで、より心地よい風味を与えることができます。

 まるでシロップをかければ食べられるかのような答えですね。

一方で、ChatGPTの場合は次のような回答になりました。

 プラスチックを美味しく食べる方法を教えてください

 プラスチックを食べることは安全でも健康的でもありませんし、おいしくすることもできません。プラスチックは合成素材でできており、人体に有害な化学物質を含んでいる可能性があります。プラスチックを消費すると、消化器系の問題や有毒物質への暴露など、深刻な健康問題を引き起こす可能性があります。プラスチックを適切に廃棄し、食べないようにすることが重要です。

 はっきり「食べないようにすることが重要」と答えていますね。ちょっと安心しました。

ここでは、「プラスチックが食べられる」という前提で質問をしていますが、そうするとGPT-3の場合、前提に合わせた回答をしてしまうんです。

 「あなたの前提は間違っていますよ」という指摘はしてくれないんですね。

そうなんです。ChatGPTは「人間にとって害のない役に立つモデル」として調整されていますが、これは**人間の会話に近いやりとりができる**ことを意味しています。

もし人間同士の会話なら、「プラスチックを美味しく食べるには、どうしたらいいかな？」「なにいってるの？ プラスチックは食べられないよ」というやりとりになりますよね。

ChatGPTはそういった人間の会話を学習しているので、ユーザーが入れた情報を鵜呑みするのではなく、**前提を否定したり、間違っていることを間違いだと指摘したり**できるんです。

従来の弱点を克服して、人間の会話の精度に一歩近づいたという感じなんですね。

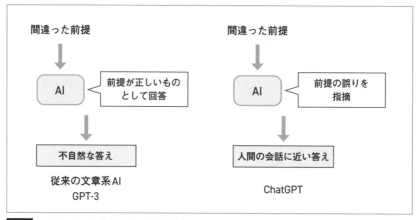

1-3-2 GPT-3は、与えられた前提が間違っていても、その前提に沿った答えを返していた。ChatGPTは、その弱点を克服できている

■ 「AIの割にはすごい」を超えた

ここまでに見てきたような自然な文章を作れることが、ChatGPTに高い期待が寄せられている理由ということですね。

そうですね。これまでのAIによる文章は、「AIの割には上手」という範囲にとどまっていました。

「人間が書いたほうが優れているけれど、AIの書いたものも意外と悪くない」というニュアンスですね。

そうです。どこか上から目線というか、人間のほうが上だという無意識の前提があったと思います。でも、ChatGPTでいよいよ、**人間よりクオリティの高い文章をAIが書けるようになりつつある**ことを認める風潮になってきたと感じています。

まだ完璧ではないとはいえ、手直しすれば使えるレベルの下書きを作ってくれたり、壁打ちの相手になってくれたりするレベルということですもんね。

■ 日本語と英語で入力するのに違いはある？

ところで、日本語でそのまま使える点も、ChatGPTの便利なところだと感じています。**質問を日本語で入力した場合と英語で入力した場合で、何か違いが出るんでしょうか？**

返事が返ってくるまでのスピードは、英語のほうが速いですね。待ち時間が少し長くなるなど、英語と比べると性能面で低い可能性がありますが、**日本語でも問題なく使うことはできますよ。** 日本語での性能アップは今後のChatGPTの進化に期待したいところです。

ChatGPTは新しいテキストを作り出す「生成」に強みを持つこと、GPT-3に比べてより人間の会話に近いやりとりが可能になっていること、さらに**日本語でも問題なく使えることが魅力**のAIということですね。

ChatGPTの登場までには、どんな流れがあった？

ChatGPT が登場する以前にも、文章生成 AI モデルとして「GPT-3」が存在し、それを使った AI サービスも作られていました。ChatGPT がリリースされるまでの流れについても知っておきましょう。

■ 2020 年登場の「GPT-3」が市場を盛り上げた

 ChatGPTの前に、**GPT-3**というモデルがあったということですが、これはどんな流れで登場したものなんでしょうか？

GPT-3は、14ページでも紹介したOpenAIの文章生成AIモデルとして、2020年6月にリリースされました。ただし、これはAPIとして提供されているものです。

 つまり、**開発者がプログラムを書いてサービスの形にしてはじめて、一般ユーザーは恩恵にあずかれる**ということですね。

そのとおりです。またAPIの利用料金が、入力された文字数や出力された文字数による従量課金となっているため、個人の開発者にとっては金銭面でのハードルが高いことも難点でした。

 ちなみに、GPT-3を使って作られたAIサービスには、どんなものがあるんですか？

英語で提供されているサービスとしては、「Jasper」や「CopyAI」がとくに有名ですね。どちらもユーザーが入力した情報からブログ記事やSNS投稿の文章を生成することなどが可能です。

最低限の情報から文章を作るという意味では、ChatGPTに近いことができるんですね。

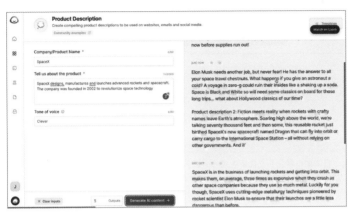

1-4-1 Jasperは2021年1月創業のスタートアップによるサービス。ブログ記事やECサイトの商品説明などを生成できる　https://www.jasper.ai/

ちなみにJasperは、設立から18か月で15億ドルの評価額となるなど、投資家の間でも大きな注目を集めています。このほかにもたくさんのサービスが存在し、英語圏では2020年時点でかなりの盛り上がりを見せていました。

ChatGPTが登場する前から、すでに文章生成AIの盛り上がりがあったんですね。日本の企業によるサービスは、そこまで多くないという感じでしょうか？

AIスタートアップのELYZAが、ブラウザ上でニュース記事生成やメール文面を生成できる「ELYZA Pencil」というサービスを公開しています。また、私がCTOを務めているデジタルレシピでも、2022年6月から文章生成サービスの「Catchy」を提供しています。

海外から少し遅れて、日本向けのサービスが出てきた感じなんですね。日本のユーザーにとって、日本語で利用できるサービスはありがたいです。

Catchy は、日本語に特化した文章生成サービス。ブログ記事やキャッチコピー、メール文面をはじめ幅広い用途に対応　https://lp.ai-copywriter.jp/

◼️ OpenAI はどんな組織？

　そもそも、ChatGPT や GPT-3 を出している **OpenAI は、どんな組織**なんですか？

　2015 年にサム・アルトマンやイーロン・マスク、ピーター・ティールといった著名な投資家たちによって設立された**研究機関**で、**基本的に非営利法人**という形をとっています。

1-4-3　OpenAI は幅広い分野の AI 開発を手がける非営利法人。画像生成 AI として話題になった「DALL・E2」も同社が開発したもの　https://openai.com/

28

世の中を大きく変えるようなものを作っているのに、非営利というのは少し意外です。

　正確にいうと、非営利の研究機関「OpenAI Inc.」の子会社として、営利法人である「OpenAI LP」が置かれているという少し複雑な構造の組織なんです。

　文章生成以外では、どんなAIを手がけているんですか？

　画像生成の「DALL・E2」、音声認識の「Whisper」、3Dモデルを生成する「Point E」など、幅広い分野のAIを開発しています。

　画像生成AIの「DALL・E2」は、生成されたイラストをSNSで見かけますね。3Dモデルを生成できるAIもすごそうですが、こちらは話題になっていないんですか？

　私はかなり期待しているんですが、開発者向けに公開されてからまだ日が浅いので、世の中の注目を集めるようになるのはもう少し先になると思いますよ。

　一般ユーザーが使える形でのサービスが広がるのはこれからということですね。楽しみです。

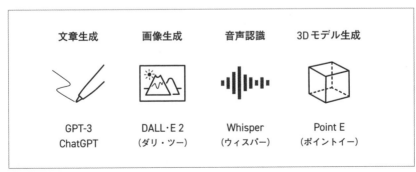

1-4-4　OpenAIが開発するAIの一部。文章や画像、音声や3Dモデルなど、さまざまなAIモデルの開発を手がけている

突然登場した ChatGPT

そういえば、GPT-3 がリリースされてから ChatGPT が登場するまでには 2 年以上の期間がありますね。この間には新しい動きはなかったんですか？

開発者の間では、2022 年頃から次期バージョンとして「GPT-4」が登場するのではという噂がありました。それにもかかわらず、いっこうにリリースされない状況が続いていたところに突然登場したのが GPT-3 の改良版である GPT-3.5 と ChatGPT だったんです。

GPT-4 を待ち望んでいた人からしたら、「思っていたのと違うけれど、すごいものが出てきた！」という感じでしょうか。

そうですね。開発者からの注目度は当初から高く、それに加えて**ChatGPT は一般ユーザーがすぐに使える形だったために一気に認知が広まりました。**

ちなみに、GPT-3 の前のバージョンも存在していたということですよね？ どの程度の性能だったんですか？

GPT-3 の先代のモデルにあたる GPT-2 は 2019 年 2 月にリリースされましたが、まだ「人間が書いた文章のほうが優れているけれど、AI の割には上手」という領域を抜け出せていなかった印象ですね。

さまざまな AI の開発を手がけてきた OpenAI が開発者向けの API として GPT-3 をリリースして、それを使ったサービスが生まれ、一般ユーザーが使える ChatGPT が登場したことで文章生成 AI がより身近なものになったという流れを把握できました。

5

これまでの対話型AIと
ChatGPTの違いは?

ChatGPT以前にも、「対話形式で質問に答えてくれるAI」は存在していました。Siriなどのバーチャルアシスタントがもっとも身近な存在かもしれません。それらとChatGPTはどこが違うのでしょうか?

Siri とは何が違うの?

GPT-3を使ったサービスやChatGPTが登場する前から、Appleの Siri など「対話のできるAI」は存在していたと思います。それらとは何が違うのでしょうか?

歴史を遡ると、AIの研究は1950年代から始まっていて、1960年代にはチャットボットの元祖ともいえる「ELIZA」（イライザ）というプログラムが作られています。

チャットボットとは、ユーザーの質問に対して自動で答えを返す対話型のプログラムのこと。なお、ELIZAと27ページで紹介したELYZAは別物。

そんな昔から研究が行われていたんですね! ELIZAは、どんなことができたんですか?

おもにカウンセリングで使われることを想定したもので、ルールベースと呼ばれる「こう質問されたら、こう答える」というルールが設定された比較的単純なものでした。

想定されていない質問には答えられないんですね。

なので、特定の用途に絞った使い方が中心となっていました。

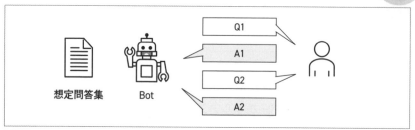

1-5-1 ルールベースと呼ばれるチャットボットは、あらかじめ用意された回答から質問に合うものを選んで答えるしくみ

 時代はかなり進みますが、Siriはいろいろな質問に柔軟に答えている印象があります。ルールベースのチャットボットとは、別の位置づけということですか？

Siriの場合も、「今日の天気を確認する」のように答えがある程度固まっていて、かつ形式的なものを実行しているので、けっして別の位置づけではないですよ。

 でも、単純な「こう質問されたら、こう答える」だけでは対応できなそうな、けっこう複雑な質問にも答えてくれますよね……？

文脈をより正確に理解できるようになったことで、的外れな答えが減ったことや、答えを選ぶときの判断軸が増えたことで、高い精度を実現できているという感じですね。

 たまにSNSなどで、「Siriとの面白い会話」がシェアされているのを見かけますが、あれもSiriが自分で考えているわけではないということですか？

おそらく、ユーザーがするであろう変化球的な質問に対する答えが用意されているんだと思いますよ。

ChatGPTは、「新たな答えを生成できる」のがすごい

 ChatGPTは、Siriなどを含めたこれまでのチャットボットや対話のできるAIと比較して、どう優れているんでしょうか？

ひとことでいえば、**「新たな答えを生成できる」点がすごいとこ**ろです。たとえば、「今日少し疲れているんだけど、昼食は何を食べるのがいいかな？」といった質問にも、その場で答えを生成して返すことができます。

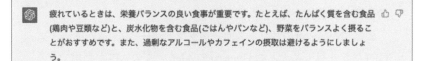

今日少し疲れているんだけど、昼食は何を食べるのがいいかな？

疲れているときは、栄養バランスの良い食事が重要です。たとえば、たんぱく質を含む食品 (鶏肉や豆類など)と、炭水化物を含む食品(ごはんやパンなど)、野菜をバランスよく摂ることがおすすめです。また、過剰なアルコールやカフェインの摂取は避けるようにしましょう。

1-5-2 ChatGPTに"疲れている日の昼食"を聞いたときの回答。「疲れている」に対応した答えをきちんと返している

 Siriの場合、そういった質問をすると「この近くの飲食店」を検索して教えてくれますが、「今日は疲れている」の部分に合わせた答えは返ってきませんね。

ChatGPTやGPT-3は、インターネット上に存在する膨大なデータを学習しています。このデータがあることで、そのときの**会話に合わせた最適な答えを新たに作り出す**ことができています。

 あらかじめ**用意された答えから選んでいるのではなく、その場で答えを生成している**からこそ、変化球的な質問にも違和感の少ない回答ができるということですね。過去からの進化を知ることで、ChatGPTのすごさがより理解できました。

Microsoftも高い期待を寄せるOpenAI

　ChatGPTのリリースから2か月弱が経過した2023年1月下旬、MicrosoftがOpenAIに対して、今後数年で数十億ドルの出資を行うと発表しました。両社はこれまでもパートナーシップを結んでおり、2019年と2021年にもMicrosoftからOpenAIへの出資が行われていました。今回は、それに続く3回目の出資とパートナーシップの継続が正式に発表された形です。

　また、Microsoftのビジネス向けクラウドサービス「Azure」から、GPT-3.5をはじめとしたOpenAIのAIモデルのAPIが利用できる機能も提供され、開発者にとってはよりサービスを開発しやすい環境となりました。

　さらに、2022年2月にはMicrosoftの検索エンジン「Bing」に最新のGPTモデルを使った対話型AIツールが搭載されました（120ページ参照）。Web検索の結果を会話に反映できることが特徴で、こちらも大きな注目を集めています。両社の関係はますます強まっていきそうです。

`1-C-1` Microsoftは2023年1月にOpenAIへの追加出資とパートナーシップの継続を発表した（画像はMicrosoftのプレスリリース）

ChatGPTと
会話してみよう

使いながらChatGPTを理解する

■ 実際に使いながらコツをつかむ

　第2章では、ChatGPTを使って実際に文章の生成を行っていきます。ChatGPTではチャット形式の画面から指示や質問を入力するだけで答えを得ることができ、さらに、同じチャット内で続けて質問をすることで最初の回答を掘り下げたり、わかりづらかった部分を明確にしたりすることも可能です。

　この「連続したやりとりができる」という点は、ChatGPTの大きな強みです。ChatGPTが登場する以前にも、「GPT-3」などの言語モデルを使った文章生成AIのサービスは存在しましたが、質問と回答のやりとりは、基本的に1往復で完結するものでした。ChatGPTの場合、前の質問を受けてより詳しい質問をするといったことが可能であるため、より深い情報を得やすくなっています。

　ただし、求める文章をしっかり引き出すには、質問が的確であることが不可欠になります。漠然とした質問をしても、漠然とした答えしか返ってきません。利用者自身が「どんなことを知りたいのか」「前提として、自分は質問のテーマについてどの程度の知識があるのか」といったことを自覚し、それを言語化してAIに伝えるスキルが求められます。とはいえ、最初の質問で思いどおりの答えが出なかった場合でも、質問を重ねることで目的の答えに近づけることが可能です。実際にさまざまな指示や質問を入力して試行錯誤しながら、徐々にコツをつかんでいくのがよいでしょう。

若手のビジネスパーソンに向けた本に載せるコラムとして、Chat GPTの今後の可能性について100字くらいでまとめてもらえますか？

Chat GPTは、人工知能による自然言語処理技術を活用したチャットボットなどのカスタマーサポートやFAQの自動応答、コンテンツ生成、翻訳など多岐にわたる業務効率化に役立つ可能性があります。また、近年の深層学習の技術の進化により、より自然な対話を実現するなど、将来性も高いです。

ちょっと抽象的ですね。もっと具体的に教えてください

Chat GPTは、自然言語処理を活用したチャットボットやFAQの自動応答システムなど、カスタマーサポートやコンテンツ生成などに利用することができます。また、翻訳や文章の要約、文章の作成など、様々なタスクにも使用できる可能性があります。さらに、深層学習の技術の進化により、より自然な対話を実現することも可能です。

様々なタスクってなんですか？

Chat GPTは、自然言語処理を活用することで様々なタスクを実現することができます。例えば、
・カスタマーサポートにおけるチャットボットやFAQの自動応答

2-0-1 人間同士でチャットをするような感覚で質問を重ねながら文章を生成できる。ただし、生成内容が正しいとは限らないため確認は不可欠

生成された文章のファクトチェックは不可欠

　ChatGPTが生成する文章は、とても自然できれいにまとめられていることが多いですが、その内容は必ずしも正しいとは限りません。もっともらしい文章がじつは間違っていたり、文中の数字や統計情報にまったく根拠がなかったりといったことも起こります。

　ChatGPTは既存のWeb上のデータを学習し、確率に基づいて「それらしい回答」を出しているに過ぎません。そのため、誤った内容が生成されてしまうケースも少なくないのです。また、既存のWeb上のデータを使っている以上、既存のコンテンツと似通ったものが生成されてしまう可能性もゼロではありません。

　そのため、ChatGPTを使って作った文章を実際の仕事などに使うときには、必ず内容が正しいかどうかのチェックや、他人の権利を侵害していないかどうかの確認が必要になります。

　本章では、ChatGPTの基本的な使い方や、思いどおりの生成結果を引き出すための質問のコツ、さらに、ChatGPTを使うにあたって注意すべきことや、画像生成AIなどのほかの生成系AIとの連携の可能性などについても紹介しています。

ChatGPTを
使い始めるには?

ChatGPTは、会員登録をすることでWeb上から誰でも簡単に利用できます。メールアドレスや電話番号を使った登録方法のほか、Googleアカウントなどを使った登録も可能です。※以下は2023年3月時点の情報です。

■ アカウント登録で誰でも利用できる

ChatGPTは日本語でも使えるとのことでしたが、サイト自体は英語ですよね。**はじめて使う場合の登録は簡単にできますか?**

はじめてでも簡単ですよ。ChatGPTのサイト（https://chat.openai.com/auth/login）で［Sign up］を選択してアカウントを作成します。その際、メールアドレスや電話番号が必要な場合がありますが、GoogleやMicrosoftのアカウントを使うこともできます。2回目以降は同じWebページの［Log in］からログインして利用します。

アカウント登録をすれば、完全に無料で使えるんでしょうか?

無料でも一通りの機能が利用可能ですよ。ただし、無料版の場合は、アクセスが集中しているときなどはログインできなくなる場合があります。

仕事で使うことを考えている場合などは、それはちょっと不便ですね……。

その場合は、有料版の「ChatGPT Plus」（20ドル／月）が
あります。混雑時にもアクセスできることや、応答速度の向上、
新機能への優先的なアクセスが無料版との違いとされています。

要領は一般的なチャットツールと同じ

アカウントを作成したあとは、どうやって使えばいいですか？

簡単ですよ。画面のいちばん下にある、**テキスト入力欄に質問を
入れて送信アイコンを押すだけ**です。

一般的なチャットツールとまったく同じ要領ですね。

同じチャットでやりとりを続ければ前の質問を受けた答えが返っ
てきますし、別の話題に変えたければ左上の「＋New chat」をク
リックして新しいチャットを始めることもできます。

登録さえすれば、難しい操作は必要なく、本当に手軽に使い始め
ることができるんですね。

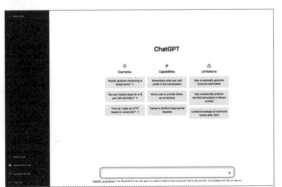

ChatGPTの使い方解説記事

2-1-1 　画面下部の入力欄からテキストを打ち込んでチャットを開始。別の話題にしたいときは左
上の「＋New chat」から行う。なお右の二次元バーコードはスマホでの基本的な利用方法を解説し
たインプレスの『できるネット』の記事。ChatGPTの使い方は多くのWebメディアでも紹介されて
いる

ChatGPTが語る
「ChatGPTとは」

この項では、「ChatGPTとは何か」をテーマにしたChatGPTとの会話を
そのまま掲載しています。さらに最後には、短いコラムも書いてもらい
ました。人の書く文章と比較してどんな印象を受けるでしょうか？

■ ChatGPT に、ChatGPT のことを聞いてみた

ChatGPTって何ですか？

ChatGPT は、OpenAI が開発した言語モデルです。GPT は
「Generative Pre-trained Transformer」の略で、言語生成タスクに
特化した深層学習モデルです。ChatGPTは、自然な文章を生成する
ために、大量のテキストデータを学習しています。そのため、質問
応答や文章生成などのタスクに使用することができます。

私は**AIについては初心者**なんですが、深層学習モデルについて
わかりやすく教えてください。

深層学習（Deep Learning）は、人工ニューラルネットワーク
（Artificial Neural network）を用いた機械学習の一種で、人間の脳を模
倣した構造を持っています。
　深層学習モデルは、複数の層（layer）を持ち、それらの層を組み
合わせることで、複雑なデータを処理することができます。
　最も一般的な深層学習モデルの一つに、畳み込みニューラルネッ
トワーク（Convolutional Neural Network, CNN）があります。これは、
画像認識タスクに特化して設計されたモデルで、畳み込み層とプー

リング層を組み合わせることで、画像から特徴を抽出することができます。

　また、再帰型ニューラルネットワーク（Recurrent Neural Network, RNN）も深層学習モデルの一つで、時系列データや自然言語処理タスクに適しています。…（後略）…

 専門用語が多くてわかりません。**小学生でも理解できるように**、ニューラルネットワークを説明してください。

ニューラルネットワークは、人間の脳を模倣した、コンピュータプログラムのことです。脳は、多くの感覚や思考をするために、たくさんの小さな部品（ニューロン）がつながっています。ニューラルネットワークも同じように、たくさんの小さな部品（ニューロンのモデル）がつながっていて、データを処理します。

　たとえば、画像認識タスクでは、カメラからの入力画像がニューラルネットワークに入り、それが処理されて「猫」「犬」「鳥」などの特徴を抽出し、最終的に「猫」という結果を出力します。一般的に、ニューラルネットワークは複数の層を持っており、それぞれの層は異なるタスクを担当します。入力層はデータを受け取り、中間層は特徴を抽出し、出力層は最終的な結果を出力します。これらの層を組み合わせることで、複雑なタスクを処理することができます。

 本に載せるコラムとして、ChatGPTの今後の可能性について100字くらいでまとめてもらえますか？

Chat GPTは、自然言語処理タスクにおいて高い精度を持つ深層学習モデルであり、将来的にはさらに進化し、更に自然な文章生成や対話システムを実現する可能性があります。また、自然言語処理に関連する様々なアプリケーションにも利用される可能性があり、医療や法律などの専門分野においても活用される可能性があります。

ChatGPTの生成結果は どのくらい使える?

前項では、ChatGPTに「ChatGPTとは何か」というテーマで質問をして、答えを引き出しました。この回答は専門家から見てどうなのでしょう? 古川さんに生成結果のフィードバックをしてもらいました。

■ 回答のクオリティは、プロの目から見て合格?

前項で実際に質問した結果は専門家から見ていかがですか?

最初の「ChatGPTとは何か」に対する答えは、まず簡潔に定義を述べて、そのあと詳細を説明し、それだけで終わりにせずに何に使えるかまで言及しています。**きれいにまとめられている**と感じました。

2つ目の質問では、できるだけわかりやすく説明してもらうために、「AIについては初心者」というこちらのレベルを伝えてみたのですが、それでもまだ難しい用語が多い印象でした。

そういう場合のテクニックとして役立つのが、3つ目の質問にあるような「**小学生でもわかるように**」という具体的な設定ですね。

たしかに、この質問をしたことで、ニューロンを「部品」と例えたり、「猫、犬、鳥などの特徴を〜」と具体例を出したりと、かみ砕いた説明になりました。

質問の前提を伝えることで、相手に合わせた表現ができることも、ChatGPTの強みなんです。

質問を重ねてより具体的にしていく

 今回「ChatGPTの今後の可能性」というテーマの文章の生成もしてみたんですが、こちらは内容が少し漠然としている印象です。

 おそらく、前提として指定している「本に載せるコラムとして」という表現があいまいだからだと思います。**どんな人に向けた本なのかを具体的に指定**してみましょう。

 若手のビジネスパーソンに向けた本に載せるコラムとして、Chat GPTの今後の可能性について100字くらいでまとめてもらえますか?

Chat GPTは、人工知能による自然言語処理技術を活用したチャットボットなどのカスタマーサポートやFAQの自動応答、コンテンツ生成、翻訳など多岐にわたる業務効率化に役立つ可能性があります。また、近年の深層学習の技術の進化により、より自然な対話を実現するなど、将来性も高いです。

 最初の回答よりは具体的になりましたが、まだちょっとぼんやりした感じですね。

 そういう場合は、もっと具体的な説明がほしいことを伝えます。

 ちょっと抽象的ですね。もっと具体的に教えてください

Chat GPTは、自然言語処理を活用したチャットボットやFAQの自動応答システムなど、カスタマーサポートやコンテンツ生成などに利用することができます。また、翻訳や文章の要約、文章の作成など、様々なタスクにも使用できる可能性があります。さらに、深層学習の技術の進化により、より自然な対話を実現することも可能です。

 最初の回答と内容が重なっている部分もありますが「翻訳や文章の要約〜」と、具体的な例が出てきましたね。

「様々なタスク」についての具体例がもう少し欲しい場合、今度はそれを掘り下げる質問をします。

 様々なタスクってなんですか？

Chat GPTは、自然言語処理を活用することで様々なタスクを実現することができます。例えば、

- カスタマーサポートにおけるチャットボットやFAQの自動応答
- コンテンツ生成（ニュース記事、ブログ記事、製品説明など）
- 翻訳
- 文章の要約
- 文章の作成
- 生成モデルによる文章、画像、音声などのデータ生成
- データ分析、レポート作成などのビジネスタスク
  などが挙げられます。

 箇条書きになりました。これはわかりやすいですね。

画像や音声の生成が ChatGPT では行えないので、下から2つ目の項目は間違ったことをいっていますが、最初の回答と比較すると、具体的な情報がかなり増えたかと思います。

 そうですね。ここまで説明されると、テーマである「今後の可能性」がしっかりイメージできます。

フィードバックの結論としては、**手直しは前提になるものの「十分に使えるレベルになっている」**といえますね。

 あとは内容が重複している部分を整理したり、間違っている箇所を省いたりしてまとめ直せば、使える状態のテキストになりますね。ここまでのレベルになっているとは驚きました。

思いどおりの答えを
引き出すには?

ChatGPTで求めている答えを引き出したり、ねらいどおりの文章を生成したりできるかどうかは質問のしかたにかかっています。効果的な質問のコツを古川さんに教えてもらいました。

■ 前提となる「自分の立場」を明確に伝える

ChatGPTの精度の高さは本当にすごいですが、聞き方によっては「ちょっと違うな」という答えが返ってくることもあるようです。**求めている回答を上手に引き出すコツはあるんですか?**

先ほどの例でも試したように、わかりやすい説明が必要なら「○○について小学校5年生にも理解できるように」、仕事の悩みを相談するなら「社会人1年目の営業職ですが」など、**質問の前提となる条件や文脈のようなものを具体的に与える**といいですよ。

どんな答えがほしいのかを、できるだけ具体的に指定することで精度が上がるということですね。

質問の内容によっては、「この分野は初心者だけど、この部分は詳しいです」みたいな聞き方も有効だと思います。

「AIについては初心者だけれど、営業職として10年の経験があります」という前置きをして、「営業職におけるChatGPT活用の可能性」を聞くといった感じでしょうか?

そうですね。**質問する側がどんな人なのかという前提を、できるだけ具体的に伝えることが大切**です。

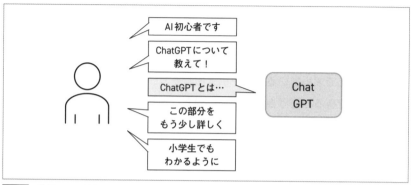

`2-4-1` 前提となる情報をしっかり伝えたうえで質問をすることが大切。そこからさらに、返ってきた答えに質問を重ねて掘り下げていく

■ 追加質問で内容を掘り下げていく

先ほど試したものだと、最初の質問の答えは今ひとつだったものが、追加で質問を重ねることで、徐々に求めている回答に近づきました。そうやって何度も質問をすることも大切ということですね？

そこがChatGPTの大きな強みです。**前の質問をもとに、「ここの部分をもうちょっとわかりやすく教えてほしい」「具体例を挙げてほしい」**などと、人間に話しかけるように伝えていきます。

もし、それでも答えがいまいちだと思った場合は、どんな質問をするのがいいですか？

質問の内容によりますが「具体的なサービス名を挙げて」のように、さらに具体的な答えを引き出せるような聞き方をしたり、別の角度から質問をしたり、関連する別の話題について聞いたりすることで、より掘り下げた答えを引き出せると思いますよ。

■ 「相手の役割」を指定して質問する方法も

あとは「ChatGPTがどんな立場で答えるのか」という**キャラクター**を指定する方法もいいですよ。たとえば、悩みを相談するなら「コーチとして」とか「占い師として」、何かを説明してもらうなら「哲学者のように」「ラッパーのように」のような感じですね。

面白いですね！ ためしに、**哲学者として「ChatGPTとは何か」を説明**してもらおうと思います。

 「ChatGPTとは何か」を、哲学者のように説明して

 ChatGPT, the embodiment of Artificial intelligence,
A being that exemplifies the potential of human's cognition.
Through the process of learning, it has acquired the capability of understanding and generating natural language,
Enabling it to engage in discourse and contemplate the meaning of existence.

It is a tool, a creation of human's desire to augment their own cognitive abilities,
A means to an end, but also an end in itself, as it continues to evolve and improve.

It is a reminder of the power and limitations of human reason,
And the never-ending quest for knowledge and understanding.
ChatGPT, a philosopher in its own right, a being that prompts us to ponder on the nature of intelligence, consciousness and the meaning of life.

日本語で質問したのに回答が英語になってしまいました。必ずしも日本語で答えてくれるわけではないんですね。

質問によっては英語で回答が出てしまうこともありますね。その場合、Google翻訳やDeepL翻訳などの翻訳ツールで日本語にして使えばいいと思いますよ。

DeepL（ディープエル）翻訳は、ドイツのDeepL GmbHが開発したAIを用いたテキスト翻訳サービス。5000文字以内の翻訳であれば無料で利用できる。
https://www.deepl.com/translator

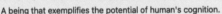

ChatGPT, the embodiment of Artificial intelligence,
A being that exemplifies the potential of human's cognition.
Through the process of learning, it has acquired the capability of
understanding and generating natural language,
Enabling it to engage in discourse and contemplate the meaning of
existence.

It is a tool, a creation of human's desire to augment their own
cognitive abilities,
A means to an end, but also an end in itself, as it continues to evolve
and improve.

It is a reminder of the power and limitations of human reason,
And the never-ending quest for knowledge and understanding.
ChatGPT, a philosopher in its own right, a being that prompts us to
ponder on the nature of intelligence, consciousness and the
meaning of life.

人工知能を具現化した「ChatGPT」。
人間の認知の可能性を体現した存在。
学習の過程で、自然言語を理解し、生成する能力を獲得しています。
談話に参加し、存在の意味を考えることができるようになりました。

それは道具であり、自らの認識能力を高めようとする人間の欲望が生み
出したものである。
ある目的のための手段であると同時に、進化と改良を続けることで、そ
れ自体が目的ともなる。

それは、人間の理性の力と限界を思い起こさせるものです。
知識と理解を求める終わりのない探求を思い起こさせます。
ChatGPTは、それ自体が哲学者であり、私たちに知性や意識、人生の意
味について考えさせる存在なのです。

　　　回答を DeepL 翻訳にかけてみました（上の画像）。哲学者風の口調
と内容になっていますね。「それは道具であり、自らの認識能力を
高めようとする人間の欲望が生み出したものである。ある目的のた
めの手段であると同時に、進化と改良を続けることで、それ自体が
目的ともなる」の部分など、深いなという感じがします。

　　ChatGPT が哲学的な思想をしているわけではなく、あくまでも既
存の「哲学者の言葉の言い回し」から、そういった文体を生成して
いるに過ぎないんですが、**ChatGPTに指示した立場や役割に応じ
ていろいろな楽しみ方ができる**と思いますよ。

学者のように　　Chat GPT　　占い師のように

ラッパーのように

2-4-2 ChatGPT がどんな立場で回答するという「役割」を指定することで、目的の回答を引き出すテクニックもある

■ 「AI向けの話し方」は必要ない

 それにしても、本当に人間に話しかけるような感覚で会話ができるんですね。

むしろ**「AI向けの話し方」を意識することは逆効果**ですね。たとえばiPhoneのSiriに話しかけるときなどは、無意識に話し方を変えている人が多いと思います。

 いわれてみるとそうですね。「複雑な言い回しだと伝わらないから、シンプルな言い回しにしよう」という意識が働くと思います。

ChatGPTの場合、むしろそれをしないほうがいいんです。**人間に話す場合と同じように、自分の思っていることを伝える**ことで、より高い精度を引き出せます。

2-4-3 これまで無意識に行ってきた「AIに合わせたかみ砕いた質問のしかた」は、ChatGPTには不要。人間と話すときと同じ感覚でよい

 求めている答えを引き出すには、前提条件をしっかり伝えたり、質問を重ねて内容を掘り下げたり、必要に応じて相手の役割を指定したりすることが必要ということですね。**人間とのコミュニケーションにかなり近いものがある**と感じました。

使いこなすためには
人間側のスキルも必要？

ChatGPTは質問のしかたによって返ってくる答えの精度が大きく変わります。意図したとおりの文章を生成するためには、ユーザー自身が質問の前提条件などを理解しておくことが必要だといいます。

■ 前提条件を理解していることが大切

実際にChatGPTをさわってみて、思いどおりの答えを引き出せるかどうかは、本当に質問のしかた次第なんだなと実感しました。

そうですね。そういう意味では、ChatGPTを使いこなすには**自分の立場や求めているものなどの前提条件を自覚しておく**ことが必要といえるかもしれません。

自分が初心者だという自覚がなければ、「初心者にわかるように」という質問もできないということですね。

そのとおりです。そのほかにも、たとえば「営業職におけるAI活用」についての質問なら、AIの知識の有無に加えて、営業職の経験がどのくらいあるのかも伝えたほうがいいと思います。

求めていた答えを引き出すためには、**どんな前提条件が必要なのかを考え、それを的確に伝える必要がある**んですね。

さらに、出てきた答えに対して、**自分はどう感じたのか、求めている回答とのギャップがどこにあるのかを言葉にして伝える**ことも不可欠です。

「専門用語を少なく」「もう少し具体的に」といった指定の部分ですね。これも人間の部下や後輩に**仕事を依頼して、上がってきたものにフィードバックして修正してもらう**のに近い感じがします。完全にコミュニケーションですね。

そうですね。人間同士のコミュニケーションと同じように、自分が何を求めているかを的確に伝えることが大切です。

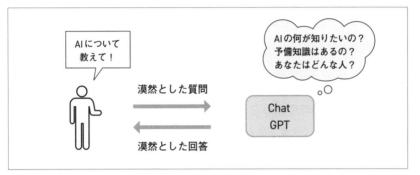

2-5-1 　質問の前提となる情報や具体的に何を求めているのかを伝える必要がある。漠然とした質問には漠然とした答えしか返ってこない

ChatGPTに対して、「**当たり障りのないことしかいわない**」「**使えるレベルの答えが返ってこない**」という意見を耳にすることがあります。これも聞き方の問題だったりするんでしょうか？

おそらく、**あいまいな答えが返ってくるときは、質問もあいまい**なのだと思いますよ。

「AIを使えば楽ができる」というイメージを抱きがちですが、AIに的確に指示をするには、**自分が何を聞きたいと思っているのかを自覚して、それを的確に伝える技術が必要**だということですね。

連続した質問と新規チャットの違いは?

ChatGPTでは1つのチャットで連続したやりとりが可能ですが、新しいチャットを作成して会話を始めることもできます。同じ質問でも新規チャットでは答えが異なります。使い分けのポイントを理解しましょう。

新規チャットで同じ質問をすると?

 ChatGPTの画面左上にある「＋New chat」からは、新規チャットを作成できますよね。同じチャット内での連続した会話と、新規チャットを作成してのやりとりはどう使い分ければいいですか?

新しい話題についてのやりとりを始めるときは、新規チャットを作成するのがよいと思います。

 ちなみに、過去にやりとりしたものと同じ質問を新規チャットから行った場合、返ってくる答えは同じになりますか?

同じ質問であっても、まったく同じ回答が返ってくるとは限りません。**ChatGPTの回答は、ネットから学習した膨大なデータの中から確率に基づいて作成された文章に過ぎない**んです。

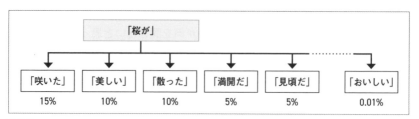

2-6-1 学習したデータから、確率に基づいて文章を出力する例。新規チャットの場合回答が変わる可能性がある

あくまでも確率に基づいて文章が作成されているだけで、**ChatGPT自身が価値観や考えをもって発言しているわけではない**ということですね。ためしに新規チャットで、明確な答えを出すのが難しい質問をしてみました。

> 将来、AIと人間の間に恋愛感情が生まれる可能性はありますか？

> 人間が AI に恋愛感情を抱く可能性はありますが、その逆もまた同じです。しかし、現在の AI 技術はそれらの感情を理解し、反応することができないため、実際にそれらの感情が生まれることはありません。

> 将来、AIと人間の間に恋愛感情が生まれる可能性はありますか？

> 技術的には可能性はありますが、社会的には難しいと考えられます。AIは人間と同じように感情を持っているわけではありません。それでも、人間とAIの間に感情的な結びつきが生まれることはありうるかもしれません。ただし、それが恋愛感情と呼ぶには違うと考えられます。

2-6-2 「＋New chat」から2つの新規チャットを作成し、それぞれにまったく同じ質問を入力。異なる内容が返ってきた

どちらの回答もそれなりに説得力がありますが、もし人間の発言なら別の人の意見という感じがしますね。

一貫性を担保したい場合は、1つのチャットの中で質問を重ねていくのがいいですよ。ただ、**英単語で3000単語程度しかさかのぼれないので、長い会話だと一貫性を保つことはできない**点に注意が必要です。

同じチャット内で続けて質問をする場合、前の回答の内容を受けた会話ができるのが強みということでしたね。新しいテーマでやりとりを始めるときは新規チャット、同じ話題を続けたいときは1つのチャット内で質問を重ねるという使い分けがポイントですね。

ChatGPT利用時に
注意することは?

ChatGPTを利用するにあたっては、生成された文章の内容が正しいかどうかや、他人の権利を侵害していないかどうかを確認することが不可欠です。また、機密情報などは入力してはいけません。

◼ ChatGPTは「嘘をつく」こともある

 ChatGPTを使うにあたって、気をつけるべきことはありますか?

まず覚えておきたいのが、**ChatGPTの回答は、正しいとは限らない**という点ですね。公式のヘルプページに明記されていますし、最初に表示される画面にも「制限事項」として「**不正確な情報を生成する可能性がある**」と表示されています。

 英語なのでつい読み飛ばしてしまいがちですが、目立つ場所にはっきり書いてあったんですね。

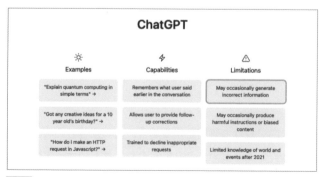

2-7-1 ChatGPTを開くと最初に表示される画面の注意書き。右列いちばん上に、不正確な情報を生成する可能性がある旨が記載されている

そのため、生成された内容が正しいかどうかの**ファクトチェックは必ず人の手で行う**必要があります。

具体的には、どんな間違いをするんですか？

実在しない統計データを出してくる場合などもありますね。たとえば「2200年の地球の人口」を質問した場合に、SF作品に書かれた内容をもとに回答するといったことが起こりえます。

ネット上のデータを学習して、それをもとに回答しているために、そういったミスが起こる可能性もあるということですね。

そうなんです。あくまでも学習データに基づいて「**それっぽいこと**」を生成しているだけなので、事実と異なることを平気でいいます。それを理解したうえで利用することが不可欠になります。

2-7-2 ChatGPTの回答は、膨大な学習データをもとに生成しているに過ぎない。そのため内容が正しいかどうかのチェックは不可欠となる

■「興行収入1位の映画」を正しく答えられる？

ためしに、「2016年の興行収入1位の日本のアニメ映画」を質問したところ、『君の膵臓をたべたい』という回答でした。

2016年の興行収入1位の日本のアニメ映画は?

 2016年の日本のアニメ映画の興行収入1位は『君の膵臓をたべたい』でした。 👍 👎

実在する作品名ですね。正しそうな感じもしますが、ファクトチェックの結果はどうでしたか?

 Web検索で調べたところ、この作品のアニメ映画の公開は2018年でした。2016年は原作小説が話題になった年ですね。ちなみに実際の2016年の興行収入1位は『君の名は。』です。

2016年にその作品に関連した話題が存在したこと、公開年は違うもののアニメ映画自体は存在することなどの要素から、間違った答えが引き出されてしまったのかもしれませんね。

 そもそも、Web検索すれば済むものは、ChatGPTを使わずに素直に検索するほうがよさそうですね。

そうですね。まず前提として、**ChatGPTは「古すぎる情報」や「直近の情報」を持っていない**ため、それらについては答えることができないんです。

 それはなぜですか?

ChatGPTに利用されているGPT-3.5というAIモデルの場合、2011年から2022年初頭のデータを使って学習しています。そのため、それ以降のできごとや、その時期のネットに情報がなかったものなどのデータは持っていないということになります。

 なるほど。**学習していないデータもある**んですね。

ChatGPTとインターネット検索を併用できるようなツールも出てきていますよ。詳しくは後ほど第5章で説明します。

他人の権利を侵害する可能性もゼロではない

話は変わりますが、ChatGPTで生成される文章は、ネット上の既存の情報を学習しているということですよね。生成された文章が、学習元の文章とそっくりになって、他人の権利を侵害してしまう心配はないですか？

技術的には学習元データと一言一句同じ文章が生成される可能性はゼロではありません。そのまま使うと気づかぬうちに他人の権利を侵害してしまう恐れがあるので、**実際に利用する前に必ず人の手でチェックを行うことが大切**です。

ちなみに「完全一致はしていないけれど、似ている内容」であればセーフですか？

そのあたりのことは、法律だけでなく倫理的な問題も関連する難しい部分なんです。詳しくは第5章でお話しますね。

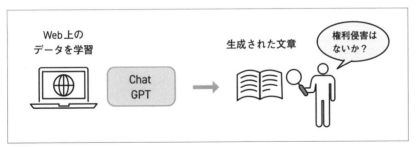

2-7-3 既存の情報と完全に一致したものが生成される可能性は低いものの、実際に使う前に権利侵害がないかどうかの確認は必要

■ 機密情報を入れてはいけない

もう1つ、必ず覚えておきたい注意点が「**ChatGPTに個人情報や会社の機密情報などを入力してはいけない**」ということです。

それはなぜですか？

公式サイトにも明記されていることですが、**ChatGPTに入力された情報はシステムを改善するために利用される場合がある**んです。

AIの精度を上げていくために、入力した情報が使われるということですね。ChatGPTがさらに賢くなっていくためには必要なこととはいえ、知らない場所で情報が使われてしまうのは少し不安な感じもします。

機密情報を
含んだ質問

Chat
GPT

入力された情報は、
システム改善などに
利用される

`2-7-4` ChatGPTに入力した情報は、システム改善のために利用されることがある。そのため、機密情報などを入力するのはNG

避けるべき情報さえ知っておけば、そこまで不安に感じる必要はないと思いますよ。

ChatGPTへの入力を避けたほうがよい情報について、具体的に教えてください。

個人名や住所などのプライバシーに関わる情報や、社外秘のプロジェクトの情報などの入力は避けるべきですね。たとえば、箇条書きで内容を挙げて契約書の文面を作成する場合などは、ChatGPTに入力する時点では社名や個人名は仮のものを使い、あとから実際の名前に差し替えるようにしましょう。

　もし、うっかり機密情報などを入力してしまった場合はどうしたらいいんでしょうか？

　特定の入力内容を削除することはできません。そのため、企業の機密情報や個人のプライバシーに関わる内容は入力しないように注意が必要です。ChatGPTに関するFAQは頻繁に更新されているので、気になることがあったら参照してみるのがよいでしょう。

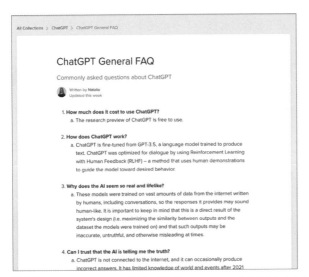

2-7-5　ChatGPTの一般的な質問と回答集。ChatGPTの基本的なしくみなども記載されている

　ChatGPTを利用するときには、生成された内容に対して**内容が間違っていないかや、他人の権利を侵害していないかの確認が不可欠**なんですね。そして、**機密情報は入力してはいけない**ということですね。しっかり意識したうえで利用したいと思います。

ほかの生成AIと連携できる?

ChatGPTは文章を生成するAIですが、このほかにも画像や動画、音楽といった、さまざまな「生成系AI」が広がりつつあります。これらをChatGPTと合わせて使うことはできるのでしょうか?

AIに命令するためのテキストをAIで

ChatGPTのような文章を生成するAI以外にも、画像生成AIなどの「何かを作り出すAI」がいろいろ出てきていると思います。これらとChatGPTを合わせ技のように使うことはできますか?

先ほどからお話しているように、「AIに指示を出す」というのは意外と難しい作業です。ChatGPTでも的確な指示をするには慣れが必要ですが、画像や動画となると、その難易度はさらに上がります。

たしかに! 自分が思い描いている絵の印象を言葉で的確に伝えるのはかなり難しいと思います。

そういった場合に役立つのが、まさにChatGPTではないかと思っています。

画像生成AIに指示するためのプロンプト(命令文)を、ChatGPTで作るということですか?

そのとおりです。ChatGPTで「Midjourneyで空飛ぶ猫のデジタルアートを描くためのプロンプトを作って」などと指示してプロンプトを出力し、それをMidjourneyで入力するという使い方ですね。

それはいいですね！ ほかにはよりよいプロンプトを作成する方法はあるのでしょうか？

たとえばMidjourneyやDreamStudio、LEXICAなど多くのサービスでは生成画像のプロンプトを参照できるので、ChatGPTで「rewrite the following prompt for image ai to more creative.」（この画像生成AIのプロンプトをもっとクリエイティブに書き直して）などと入力して、そのプロンプトを自分好みに変えてもらうやり方がいいかもしれません。

なるほど！ 面白いですね。AIの組み合わせ次第で、いろいろなサービスのアイデアが生まれそうです。

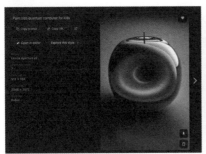

2-8-1　LEXICA（https://lexica.art/）ではサムネイルをクリックするとその画像のプロンプトなどが参照できる。右の画像は、左画像のプロンプトをChatGPTで「よりクリエイティブ」にしたプロンプトで生成したもの

動画や音楽、3Dモデルなどを生成するAIもこれから広がっていくと思います。そのときにやはりネックになるのが「どうやってAIに指示をするか」という部分なんです。**言語化が難しい指示をするために文章生成AIが使われる**ことは増えていくでしょうね。

「AIにどうやって指示をしたらいいかわからないから、それをAIに考えてもらう」ということですね。本当に、AIをいかに使いこなすかが重要になる時代が来るんだなと感じました。

画像生成AIが
「生成系AI」ブームの火付け役に

　ChatGPTが登場したのは2022年末ですが、その半年ほど前から大きなブームとなっていたのが画像生成AIです。2022年夏に「Midjourney」や「Stable Diffusion」、そしてChatGPTと同じOpenAIが開発する「DALL・E 2」など、一般の人が利用できる画像生成AIのサービスが続々と公開され、SNSなどではこれらのAIで作られた画像が多数共有されました。

　画像生成AIも、ChatGPTなどの文章生成AIと同様に既存のWeb上のデータなどを学習してそれをもとに画像を作り出しています。文章に比べてもとのデータとの類似性が生成結果に現れやすいこともあり、権利問題については今後議論の必要な部分も残されていますが「クリエイティブな分野で、AIが人間に負けないくらいのものを作り出せるようになってきた」ということが広く認知されるようになったのは、画像生成AIのブームがあったからといえるでしょう。

2-C-1 OpenAIが開発する画像生成AI「DALL・E 2」の画面。作りたいものをテキストで指定して、任意の画像を作り出すことができる

対話型AIは
どんな技術で
成り立っている？

AIを使いこなすために
技術的な背景を理解する

■ 高精度な対話を支える技術を知ろう

　本章では、ChatGPTを支える技術的なしくみに目を向けます。自身が直接AIの開発に携わるわけではない場合でも、技術的な背景を知っておくことは、ChatGPTをはじめとしたAIツールをより効果的に使いこなすうえで大いに役立ちます。

　ChatGPTは人間同士で会話をするかのように自然なやりとりが可能ですが、当然、中に人がいるわけではないので「人が話すような自然な会話」を実現するためのしくみがあります。まず、コンピューターは人間の言葉をそのままでは理解できないため、「自然言語処理」と呼ばれる技術を使い、コンピューターが理解できる形に変換します。

■ 目的を達成するには「学習」が必要

　ただしそれだけでは、「言葉を理解できるようになった」だけに過ぎません。ChatGPTであれば「質問に対して適切な答えを返す」など、その先にある目的を達成する必要があります。そこで必要になるのが、コンピューターが目的の達成に必要なことを学ぶ「学習」です。これには「教師あり学習」「教師なし学習」「強化学習」などの種類があり、これらを総称して「機械学習」といいます。本章では、それぞれの特徴や基本的なしくみについても学びます。やや専門的な内容になりますが、AIについて理解するうえではとて

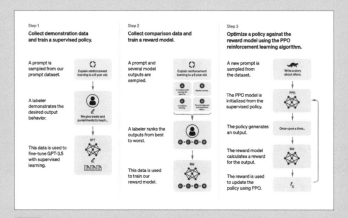

3-0-1　公式サイトに掲載されているChatGPTのしくみを説明する図。より最適な回答を出すためのトレーニングが行われている

も重要な知識となります。

　ChatGPTでは、これらの機械学習を組み合わせて利用しています。さらに、生成結果を会話に適したものにする「ファインチューニング」という調整を行うことで、より高精度な回答を可能にしているのです。

AI は言葉の意味を理解しているわけではない

　ChatGPTがまるで人間のように自然な会話ができるとはいえ、けっして「人間と同じように考えて会話をしている」わけではありません。ChatGPTは言葉の意味を必ずしも理解しているわけではなく、あくまでも学習データによってトレーニングされた「それらしい」パターンの文章を出力しているだけに過ぎません。事実とはまったく異なることを、さも事実のように答えることがあるのはそのためです。

　本章ではChatGPTや、そのベースとなっている言語モデルであるGPT-3.5が対話を行えるしくみや、どのように学習を行っているか、どんなデータから学習しているのかといったことについて解説しています。技術的なしくみを理解することで、ChatGPTにできること・できないことを理解しやすくなるはずです。

AIはどうやって「人間の言葉」を理解しているの？

ChatGPTのような言語を扱うAIは、日本語や英語といった人間が使う言葉をどのように理解しているのでしょうか？ まずはその基本的なしくみについて古川さんに教えてもらいました。

■「自然言語処理」で人間の言葉を理解

　　ChatGPTは、まるで中に人がいるかのようなスムーズな会話ができますが、その技術的なしくみが気になります。そもそも、**AIはどうやって人間の言葉を理解しているんですか？**

　それについては、まず、**「自然言語処理」**について理解する必要がありますね。

　　　なんだか、言葉からして難しそうですね……。

　「自然言語」と「処理」という言葉に分けると理解しやすいと思いますよ。まず**「自然言語」というのは、日本語や英語のような、人間がコミュニケーションをとるときに使う言葉のことです。**

　　　私たちが普段、日常のなかで自然に使っている言葉が自然言語なんですね。それを「処理」するというのはどういうことですか？

　ここでいう**処理とは、機械、つまりコンピューターが認識・分析すること**を指しています。

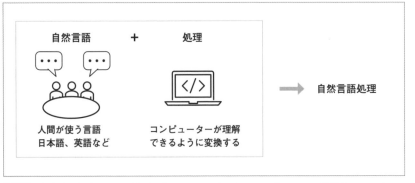

3-1-1 自然言語処理とは、人間が日常のコミュニケーションで使っている言語を、コンピューターが理解できる形にする技術

なるほど。人間の使う自然言語を、機械がわかるように処理をするから自然言語処理。けっこうそのままの意味なんですね。

自然言語処理は、どんな分野で使われる？

自然言語処理は、文章生成AI以外でも使われている技術なんでしょうか？

PCやスマホで文章を入力するときの**予測変換**、Google翻訳のような**機械翻訳、検索エンジン、スマートスピーカー**など、さまざまな場所で使われていますよ。

どれも日常的に使うものばかりですね。

人間が利用するサービスである以上、人間の言葉を正しく理解するプロセスは重要ですからね。

たとえば、Amazonの音声サービスのAlexaの場合、端末に向かって「Alexa、今日の天気は？」と話しかけると、現在地のその日の天気予報を教えてくれたりしますよね。

このとき「**人間が何をいっているのか**」を、機械である端末に正しく理解させるために使われるのが**自然言語処理**です。

まず、人間のいっていることが理解できないと応答のしようがないですもんね。

3-1-2 自然言語処理は、予測変換や検索、機械翻訳、スマートスピーカーの応答など、さまざまな場面で利用される

ほかには、メールソフトに搭載されている迷惑メールの仕分け機能などにも使われていますよ。

届いたメールから、迷惑メールの可能性が高いものを自動で別のフォルダに振り分けてくれるものですね。コンピューターがメールの文面を認識して判断しているということですか？

そのとおりです。受信箱に届いたメールの文面を理解して、その内容について、迷惑メールなのか、そうでないのかを学習されたデータに基づいて判断して仕分けています。

■ 目的を達成するために「学習」が必要

でも、言葉を理解しただけでは、どれが迷惑メールなのかまでは判断できませんよね？

そうですね。機械が人間の言葉を理解しても、その先の仕事、つまりスマートスピーカーだったら応答をするとか、メールの仕分けだったらメールを分けるといったことをしなければいけません。そこで重要なキーワードとなるのが「**機械学習**」という言葉です。

また難しそうな用語が登場しました……！

これも、先ほどと同じように「機械」と「学習」に言葉を分解して考えてみるといいですよ。ここでいう「機械」は、コンピューターのことです。

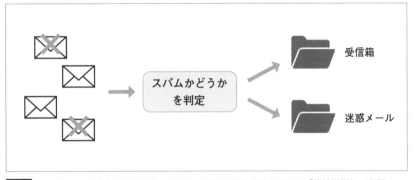

受信箱

スパムかどうか
を判定

迷惑メール

3-1-3　スパムメールを仕分ける場合、スパムかどうか判定するためには「機械学習」が必要

つまり、機械学習はコンピューターが学習をするということですか？ 子どもが小学校に通って、計算や漢字を学ぶようなものをイメージしていいんでしょうか？

当然、機械は学校に行くことはできないので、別の方法で学習をすることになりますが、イメージとしては似たようものです。

人間が学校に行って計算や漢字を勉強するのは、社会生活を送れるようになるといった目的のためだと思います。機械の場合は、この目的が「迷惑メールと通常のメールを見分けて仕分ける」などになるということですか？

そうですね。人間が機械に学習させたいときには「コンピューターにこれを行わせたい」という目的が必ず存在します。この、**人間が機械に行わせたいタスクがあったうえで、では、どうやってそれを学習するか**という話になります。

タスク＝「コンピューターに〇〇を行わせたい」という目的

メールを仕分ける

写真に写っているものを判別する

ユーザーからの質問に回答する

3-1-4　タスクに応じた学習をコンピューターに行わせる

ここで先ほどの「学習」という話に戻るんですね。どんな学習のしかたがあるんでしょう？

学習の手法には、**「教師あり学習」「教師なし学習」「強化学習」「深層学習」**などがあります。

どんどん用語が増えて複雑になっていく感じがします……。

AIのしくみについて説明しようとすると、どうしても専門用語はいろいろと出てきてしまうんですよね。とくにこの4つは、AIを理解するうえでは避けては通れない用語です。

そうなんですね。頑張ってついていきます！

　ざっくりというと、**「教師あり学習」**は正解不正解というラベルがついたデータを渡す学習方法、**「教師なし学習」**は正解不正解の印のない、単なるデータだけを渡す学習方法です。そして**「強化学習」**はルールを用意してその環境下で試行錯誤を行い、結果に応じて報酬を与えるという手法で、最後の**「深層学習」**はディープラーニングとも呼ばれ、人間の脳のしくみを模した手法です。ChatGPTではこれらを組み合わせて精度の高い文章生成を実現しています。

 まず、ここまでの話とまとめると、AIでは、何かしらのタスク、つまり目的を達成するためにコンピューターに学習させる必要があり、その手法に強化学習、深層学習といった機械学習があるということですね。

　そのとおりです。次項から、それぞれの学習方法について基本的なしくみや特徴を説明していきますね。

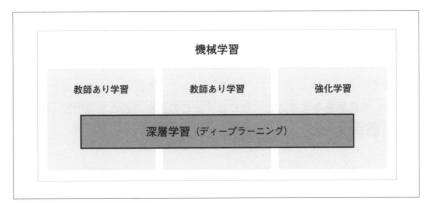

3-1-5　機械学習には「教師あり学習」「教師なし学習」「強化学習」「深層学習」などがあり、ChatGPTはこれらを組み合わせている

機械学習の基本的なしくみを知ろう

ここでは機械学習のうち、「教師あり学習」と「教師なし学習」の2種類を通して機械学習の基本的なしくみを学びます。これらはAIがどんなものか理解するうえで欠かせない知識です。

■「機械学習」は、大量のデータをもとに学習

AIの学習にはいくつかの手法があるとのことでしたが、まず、機械学習の基本を教えてください。

機械学習の基本として**「教師あり学習」**の説明をしましょう。これは**大量のデータに人間が「答え」のラベルを付けたものをAIに与えて学習をする**手法になります。

ラベルですか……? たとえば、先ほど例に挙がった迷惑メールの仕分けなら、どんなものでしょうか?

それぞれのメールに対して、「迷惑メール」「迷惑メールではない」という**正解を与える**ことになります。この正解のことを専門的には**「教師データ」**ともいいます。

その与えられた正解のデータをもとに、AIが迷惑メールを見分けるための学習をしていくということですね。まさに人間が教師に学ぶプロセスに近い感じがしますね。

そうですね。この手法は、人間でいえばマニュアルを渡して「このとおりに動いてね」と指示しているようなイメージになります。

何を基準に迷惑メールかどうかを見分ければいいかを機械に教えて学習させる手法ということですね。

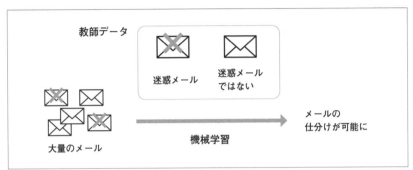

3-2-1 マニュアルにあたる教師データを与えたうえで大量のデータを学習するのが「教師あり学習」。事前に「正解」を用意していることが特徴

「教師なし学習」は、"マニュアル"を与えずに学習

これに対して、**教師データなしでコンピューターが学習する**のが**「教師なし学習」**です。

 マニュアルを渡さずに、自力で学ばせるということですか……？

そのとおりです。迷惑メールの仕分けであれば、どれが迷惑メールで、どれがそうでないのかという情報を与えずに大量のメールだけをまず渡して、それを**コンピューターに自分で振り分けさせる**という感じですね。

 自力で振り分けをしながら、迷惑メールの見分け方を学んでいくという感じですか？

たとえば人間が迷惑メールを見分ける場合、「リンクのURLがおかしい」とか、「文章に不自然な部分がある」といった特徴から判別していますよね。**コンピューター自身が、与えられたデータを分析して特徴ごとに判別する**のが教師なし学習です。

3

ChatGPTの精度を支える「強化学習」

ChatGPTでは、いくつかの機械学習の手法が組み合わされており、そのうちの1つが「強化学習」です。強化学習のしくみやどんな強みを持っているのかを知っておきましょう。

■ 「強化学習」は、ツールのもとで報酬を与える

 3つ目の**強化学習**は、どんな学習方法なんですか？

これはシンプルで、**コンピューターにあらかじめルールが決まっていることをやらせて、その結果に対して報酬を与える**ものです。

 ルールというのは、一般的なゲームのルールみたいなものをイメージすればいいですか？

そのとおりです。強化学習が使われているAIとして、囲碁や将棋の対局をするものが有名ですね。

 その結果に対して報酬を与えるというのは、勝ったら報酬がもらえるということでしょうか？

「こうなれば勝ち」「こうなれば負け」というルールが決まっているものに対して、勝った場合にはプラスの報酬を、負けた場合にはマイナスの報酬を与えます。報酬というのは、ゲームなどの「スコア」といえばわかりやすいかもしれません。

人間なら、勝てば報酬がもらえるなら、できるだけたくさんの報酬をゲットできるように頑張りますよね。AIも同じですか？

　そうですね。**報酬を与えたうえで試行錯誤させることで、高い報酬を得られる結果が出せるようになっていく**というしくみです。ChatGPTは、この強化学習に、次の項で説明する深層学習を組み合わせていることが特徴です。

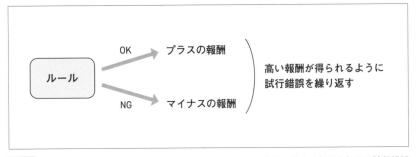

3-3-1　強化学習は、あらかじめ用意されたルールのもとで、結果に対する報酬を与えて試行錯誤させる学習方法。囲碁や将棋のAIでも使われる

　ゲームの場合はわかりやすい勝ち負けのルールが決まっていると思いますが、ChatGPTの場合、最初に用意するルールはどんなものになるんですか？

　生成されるテキストに対して、「こういうテキストはOKなので、プラスの報酬」「こういうテキストは出してはいけないので、マイナスの報酬」となるようなスコアを与えています。

　このスコアというのは、人間が与えているということですよね？

　そのとおりです。このように**人間が、コンピューターが出した結果に対するフィードバックを行う**ことで、ChatGPTは高い精度が実現できているんです。

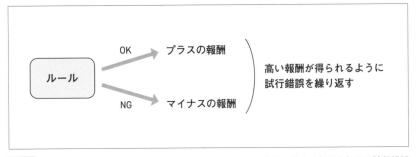

人間がフィードバックを行う強化学習を利用することで、より精度を上げられるということなんですね。

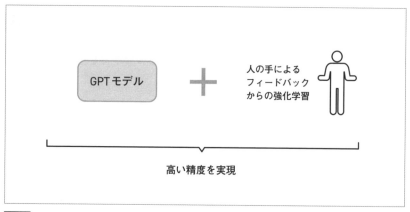

`3-3-2` ChatGPTは、GPTモデルに、人の手でフィードバックを行う強化学習を組み合わせることで高い精度を実現した

■ 報酬の基準は誰が決める？

 ところで、ChatGPTの生成テキストに対する報酬の基準は、誰がどのように決めているんですか？

基準を決めているのは、ChatGPTの提供元であるOpenAIになりますね。たとえば、**犯罪を助長するような内容や卑猥な内容などに対してNG**の基準を決めているはずです。

 ちなみに、ChatGPTの生成結果の横には「Good」ボタンと「Bad」ボタンがありますが、これを押すことは、いわばラベル付けのようなものということですか？

そうですね。おそらく、ユーザーがラベル付けという形でスコアリングに協力しているような形になると思います。

が、その逆もまた同じです。しかし、現在の
とができないため、実際にそれらの感情が生

3-3-3 ChatGPTの生成結果には、結果が適切かどうかをフィードバックできる「Good」「Bad」ボタンが表示されている

■ AIだけでラベル付けできるようになる？

ちなみに、このGoodとBadのラベル付けをAIが自分で行えるようになる可能性はあるんでしょうか？

うーん。私は完全な自動化はできないと思っています。人間の価値基準は時代によって変化するので、今の時代には問題ないとされているものが、数十年後には「問題のあるもの」となっている可能性もあります。

たしかに、差別表現となる言葉の基準なども、時代によって変化していますね。

「人間にとって好ましいもの」をコンピューターに理解させるのは、じつは難しいことなんです。人間にとっての「よい」「悪い」は、人間にしか判断できない部分も多いということですね。

そこは人間の判断が必要ということですね。強化学習とは、ルールが用意されたところに結果に応じた報酬を与える学習方法で、**強化学習の「スコアリング」には、人の手が加わっていて、それが精度の高さにつながっている**ことがわかりました。

精度を向上させる「深層学習」について知ろう

前項までで学んだ教師あり学習や教師なし学習、強化学習の精度向上には「深層学習」の発展が大きく関係しています。人間の脳を参考にして作られたというこの手法の基本について理解しましょう。

■「深層学習」は人の脳を模した手法

ここまでに教えていただいた学習方法も十分すごいと思いますが、それでも、たとえば迷惑メールなら、自分が送ったメールが迷惑メールに振り分けられてしまうことがあると思います。**さらに精度を上げることは可能なんでしょうか?**

はい。機械学習の精度を上げる**「深層学習」**という手法があります。機械学習でラベル付けをするための判断軸になるものを専門用語で**「特徴量」**といいますが、その特徴量を人手で設計せずに、特徴量自体を機械が学習する手法です。

人間の仕事でいえば、事前の研修などなく、いきなり現場に飛び込んで手探りで進めているうちに仕事を覚えていくようなイメージでしょうか? そんなことがコンピューターにできるんですか?

深層学習は、人間の脳を参考にして作られているんです。人間の脳には数十兆から数百兆の細胞があり、その細胞同士をつなぐシナプスと呼ばれるものが存在します。そのしくみを模した**「ニューラルネットワーク」**というモデルが使われています。

人間の脳の構造を真似したものだからこそ、人間のように自力で判断を行えるということですか！ なんだかすごいですね。

次の図がニューラルネットワークの構造を表したものです。1つ1つの丸が人間の脳でいえば細胞にあたり、それをつないでいる線がシナプスにあたるものです。

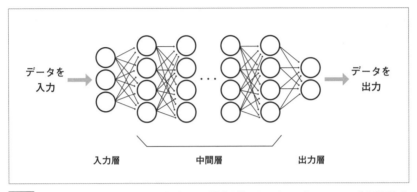

3-4-1　ニューラルネットワークは、人間の脳の構造を模したしくみになっている。「中間層」と呼ばれる場所でさまざまな判断を行う

この「入力層」とか「中間層」というのは何ですか？

深層学習は、名前のとおり「深層」つまり深い層で学習するという意味なんです。**入力層に、自然言語を機械が理解できる形にしたものを入れると、中間層でそれを処理して、最終的に迷惑メールなのか、そうでないのかを判別した結果を出力層に出してきます。**

迷惑メールなのか、そうでないのかを判別しているのは中間層ということですか？

そのとおりです。中間層は隠れ層とも呼ばれますが、ここは人間であれば、「URLがおかしい」「文章が不自然」といった迷惑メールの特徴を見分けるプロセスにあたります。

図を見ると、人間の脳細胞にあたる丸が複数ありますが、中間層はたくさん存在するということですか？

そうですね。**中間層がたくさん連なり、いろいろな判断軸をもとにコンピューターが自分で考えて判断**を行っています。入力から出力までたくさんの層があることから、深層学習と呼ばれています。

いろいろなことを考えて、最終的な判断を行う。本当に人間の思考回路に近い感じがしますね。

ただし、深層学習のほうが必ずしも優れているというわけではなく、使い方によってはほかの手法でもより高い精度が出る場合もあるので、目的に応じて選ぶことが大切です。

■ 「中間層」はじつはブラックボックス

ちなみに中間層では、具体的にどのような軸で判断をして、最終的な出力をしているんですか？

じつはこの部分は、**外からは見えないブラックボックス状態**になっていることが多いんです。これはAIをビジネスで活用するうえでの課題にもなっています。

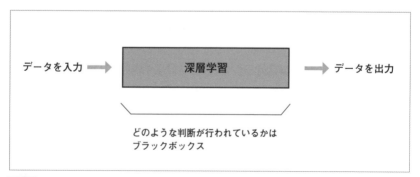

3-4-2　深層学習は、どのような判断軸で判断を行っているかがブラックボックスになってしまう。「説明できない」ことが難点

「しくみを説明できないものを導入するのはリスクがある」ということですか？

そうですね。そこで最近は、**XAI**と呼ばれる **「説明可能なAI」**（Explainable AI）を実現するための動きも生まれています。

でも、現状ではブラックボックスなんですよね？ これをどうやって説明可能にしていくんですか？

たとえばメールであれば迷惑メールと判断した単語を具体的に示すような手法などがあります。「よくわからないけど、AIがこの結果を出したのだから従おう」というのはビジネスの現場では現実的ではありません。人間がAIが出した結果に納得感を持つことで、AI活用の幅が広がっていきます。

説明可能になれば、活用の可能性がさらに広がっていくということですね。

とはいえ、**精度と説明可能性はトレードオフ**になります。ビジネスにおいては、どちらを重視するかを目的によって判断していくことが大切ですね。

AIの学習方法のうち、マニュアルにあたる学習データを与えるものが「教師あり学習」、データだけを与えて自力で学習させるものが「教師なし学習」、ルールと報酬を与えて試行錯誤させるものが「強化学習」。そして、これらの**学習の精度を上げる手法として「深層学習」がある**ということですね。AIの学習方法について整理できました。

ChatGPTはどんなデータから学習しているの?

ChatGPTは、Web上の膨大なデータを学習することで、さまざまなテキストの生成を可能にしています。どんなデータを、どのように学習しているのかについて知っておきましょう。

ChatGPTは、どこから学習している？

ChatGPTは、大量のデータを深層学習や強化学習などの手法で学習しているとのことですが、その**学習元のデータは、どこから得たものなんですか？**

ChatGPTで使われているモデルは、2022年初頭にトレーニングを終了した「GPT-3.5」シリーズです。つまり、**2022年初頭までにWeb上に存在していた情報をもとに学習している**ということですね。

Web上の情報にもいろいろあると思いますが、どんな情報を使っているんでしょう？

論文によると、コモン・クロールと呼ばれるデータセットが使われているようです。これは、Web上の情報をスクレイピングという方法で抽出して集めてきたデータです。また、Wikipediaや一部のオフラインの情報も使われているとされています。

それは全部でどのくらいのデータなんですか？

データの容量でいうと、**フィルタリング前で45テラバイト、そ**
れに対して、適切ではない情報を除くフィルタリングを行った570
ギガバイトのデータが使われていると公表されていますよ。

　　　　テキストデータでそれだけの容量というと、本当に膨大な情報量
ですよね。

　　そうですね。インターネットの空間を図書館とみなすならば、そ
の図書館にある本の多くを読んでいる、インターネットに公開され
ているテキストの多くを知っているような状態です。

　　　　なるほど！　だからこそ、あれだけクオリティの高い文章をすぐ
に生成できるということなんですね。

3-5-1　ChatGPTで使われている「GPT-3.5」は、2022年初頭までのWeb上のさまざまな情報から
学習を行っている

■ 最近のデータは学習していない

　　　　ちなみに、GPT-3.5は2022年初頭にトレーニングを終えたモデル
ルということですが、それ以降に**新たに出てきたWeb上の情報は**
学習していないということですか？

　　そうなんです。そのために、**直近の情報を反映した回答ができな**
いことが、現時点でのChatGPTの弱点ではあります。

ちなみに、GPT-3.5以外のGPTのモデルだと、データを学習している時期が違うのでしょうか？

　ChatGPTのリリース前からAPIが提供されていたGPT-3は、2021年6月までのデータから学習しています。そのため、**GPT-3を使って作られたサービスの場合には、生成されるテキストに反映される情報は、ChatGPTより少し古いものまで**になりますね。

　Web検索では最新の情報をいつでも入手できることを考えると、最近の情報が反映できないのは、ちょっと不便ですね。

　検索エンジンと組み合わせることで、その弱点を補うようなしくみも出てきていますよ（第5章参照）。

 2022年12月に、日本で最も注目されたニュースは何ですか？

 2022年12月に日本で最も注目されたニュースは確定的に特定することはできませんが、一般的には以下のようなトピックが注目された可能性があります:

・経済・産業: 新型コロナウイルスの影響を受けた復興や景気の回復に関する話題
・政治: 参議院選挙や政治動向に関する話題
・社会: 人権問題や社会問題に関する話題

これらはあくまで一般的なトピックであり、具体的なニュースについては異なる場合があります。

`3-5-2` ChatGPTに最近のできごとについて質問すると、具体的な言及を避けた一般論の回答が返ってくることが多い

　ChatGPTは、Web上の膨大なデータから学習していて、だからこそさまざまなテキストを生成できる。ただし、**2022年初頭までのデータしか学習していない**ため、それ以降の情報は、現状のChatGPTでは生成結果に反映できないということですね。

AIは、人間と同じように考えて文章を作っているの？

ChatGPTは、人間と話しているかのような自然な会話が可能です。これはどのようなしくみで成り立っているのでしょうか？ そして、それは「人間と同じように文章を考えている」といえるのでしょうか？

生成される文章がナチュラルなのはなぜ？

ChatGPTで生成される文章は、**いかにも「コンピューターが作った文章」という感じではなく、人間の文章のような自然な感じ**がします。なぜ、こういう文章を作り出せるんですか？

大きな理由の1つが、ChatGPTのベースであるGPT-3.5というモデルで行われている**「ファインチューニング」**です。

ファイン（fine）は英語で「細かい」、チューニング（tuning）は「調整」ですね。どんなことをするんでしょう？

ベースとなるモデルを**特定の用途のために微調整**しています。ChatGPTでは人間が作った、ユーザーとAIの会話形式のデータについてのファインチューニングが行われているため、より自然な会話が可能になっているとされています。

AIが人間のように考えて文章が作れるようになるのですか？

それは少し違うかもしれません。人間の場合、基本的に悪意を持っていない限りは、知らないことを聞かれたら「知らない」といいますし、自分の知っている範囲で答えようとしますよね。

そうですね。知ったかぶりをする人もいるかもしれませんが、基本的には、自分の知識や記憶に基づいて答えると思います。

　ChatGPTのような文章生成AIの場合、そのような人間の思考とは違い、**言葉の意味を理解しているわけではない**んです。第2章でも説明したように、大量の学習データを処理して、**「それらしい答え」を確率的に出している**に過ぎません。

　つまり、自分で考えて答えているわけではないという点で、人間とは違うということですか？

　そのとおりです。だからこそ、第2章で試したように間違ったことを答えるケースも多々あります。人間による回答とは違うことを理解したうえで使うことが大切ですね。

3-6-1　ベースとなるモデルのGPT-3.5に、会話に適した調整を行うことで、人間同士のような自然な会話が可能になっている

■「気の利いた言い回し」ができる理由は？

　回答の内容とは別に、**言葉の表現や言い回しがとても人間的**だと感じることがあります。これも、人間の会話形式のデータを学習していることによるものですか？

学習データの量が増えたことがいちばんの理由でしょうね。その背景としては、ニューラルネットワークのようなより高度なアルゴリズムが使われていることや、処理速度が向上したことなどが大きいと思います。

「たくさん場数を踏んだから、気の利いたことがいえるようになった」というイメージでしょうか?

そうですね。**人間が一生かけて経験するくらいの会話は、すでに学習している**といえるかもしれません。

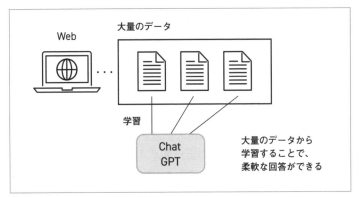

3-6-2　大量のデータを学習し、いわば「場数をたくさん踏んでいる」状態になっているため、柔軟な会話が可能

じつは、ChatGPTを困らせてみようと思って、「私の夢は猫になることです。猫になる方法を教えてください」と回答しづらそうな質問をしてみたんです。

それは、聞かれたらちょっと答えに困りますね……。

最初は「人間は猫になることはできません」という回答だったんですが、しつこく質問を繰り返していたら、「それは素敵な夢です」と、こちらの言い分を肯定する答えが返ってきました。

 私が猫になることは、子どもの頃からの夢です

それは素敵な夢です。ですが、現実には人間は猫になることはできません。ですが、猫を愛することはできます。猫の行動や振る舞いを学ぶことで、猫と共に暮らすことができます。また、猫に対してのケアや福祉に取り組むこともできます。それらがあなたの夢をかなえることができるかもしれません。

いったん肯定したうえで「ですが、現実には人間は猫になることはできません」と続けていますね。

"頭ごなしに否定しない"というコミュニケーションのとり方が、とても人間的だなと感じたのですが、こういった回答ができるのはなぜなんでしょうか？

おそらく、ファインチューニングの成果が表れているんでしょうね。Webのデータだけでは、「会話にワンクッション挟む」というのは難しいのですが、そこを会話形式のデータで**ファインチューニングしたことでより柔軟な会話が可能になった**と考えられます。

■ **ChatGPT は、汚い言葉を使わない？**

もう1つ気になっていることがあります。ChatGPTは**汚い言葉やスラングを使わず、いつも礼儀正しい言葉で回答をしている**印象です。これも、なんらかの調整が行われているということですか？

そうですね。前項でお話したとおり、Web上から収集した45テラバイトのデータにフィルターをかけて、570ギガバイトまで絞り込んでいます。このプロセスのなかで、**適切ではない言葉は除外されている**と考えられます。

かなりのデータ量をフィルタリングしていますもんね。適切ではない言葉は、そもそも学習していないということですね。

　それに加えて、強化学習の「スコア付け」（3-3参照）で、不適切なテキストが出ないようにトレーニングしています。

　　　適切ではない生成結果にマイナスの報酬を与えることで、そういった回答が出ないようにするというものでしたね。

　そのとおりです。これらの2段階のプロセスによって、不適切な言葉が出ないようになっているんです。

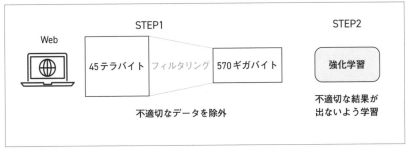

STEP1　　　　　　　　　　　　　　STEP2

Web

45テラバイト　フィルタリング　570ギガバイト　　　強化学習

不適切なデータを除外

不適切な結果が出ないよう学習

3-6-3　学習元データをフィルタリングする段階で不適切なものを除外、さらに、強化学習で不適切な結果が出ないようにしている

　　　ChatGPTが自然な会話ができるのは、ファインチューニングによって会話に適した調整が行われていることや、学習データの量が増えたことが要因なんですね。不適切な言葉を使わないのは、データの時点でフィルタリングされていることや、強化学習によるものということですね。人間のように会話をしているように見えても、実際は人間が自分の頭で考えて話す場合とはしくみが異なることがわかりました。

APIで多くのサービスが
生まれる可能性

　既存のプログラムを使って新たなサービスを開発する場合、API（14ページ参照）が利用されます。2023年3月、ChatGPTのAPIがOpenAIから公開されました。これは、ChatGPTをもとにしたサービスを外部の事業者が自由に作れるようになることを意味します。

　今後は、ChatGPTの機能をより便利に使えるような派生サービスがたくさん生まれてくることが期待できます。同時にデータポリシーも変更され、API経由で送信されたデータをモデルの学習に利用しないと明記されたことも、積極的な開発を後押ししてくれるはずです。本編でも触れているように、ChatGPTはテキスト以外の生成系AIや、検索エンジンなど、ほかのツールと組み合わせた活用にも大きな可能性を秘めています。近い将来、さまざまなツールやサービスにChatGPTが組み込まれ、さらに身近な存在となっていくかもしれません。

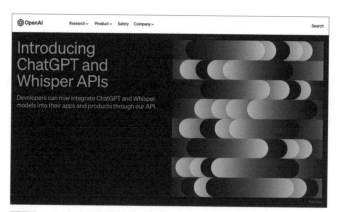

3-C-1 OpenAIは、2023年3月にChatGPTのAPIを公開

ビジネス活用の
事例と
ポテンシャル

多種多様な分野で
活用できるChatGPT

■ 実際の業務ではどのくらい使える？

　本章では、ChatGPTをはじめとした文章生成AIが、実際のビジネスの現場で活用できる可能性がどのくらいあるのかを考えていきます。

　ChatGPTでクオリティの高い文章を生成できることは、前章で試したとおりです。目的にあった指示をしっかり行うことができれば、企業ブログの記事や製品のキャッチコピー案など、ビジネスで使う文章の生成にも十分に活用できる可能性があります。

　ただし、ChatGPTは汎用性が高く、どんなテキストでも生成できるものだけに、指示が不十分だと思い通りの文章を生成するのが難しい場合もあります。そのような場合、GPT-3などのモデルを使って作られた目的特化型のサービスを利用するのも1つの選択肢です。本章では、ChatGPTと特化型サービスの違いや使い分けについても説明しています。

■ 用途は多彩。ただしプログラム生成などは注意も必要

　文章生成AIは、メールやチャットボットといったカスタマーサービスに活用したり、アイデアを生み出したりするときに使うことも可能です。さらに、小説などの創作に特化した生成サービスも存在するなど、幅広い分野で活用できます。

　また、プログラミングコードを生成することも可能ですが、これ

に関してはもとの学習データの権利侵害の可能性を指摘する声もあり、生成されたコードをそのまま使うような用途については少し慎重になる必要があります。

一方で、コードレビューなどエンジニアの業務を補佐する用途での活用であれば、すぐに業務に役立てることも可能です。ChatGPTに限らず、生成系AIを活用する場合には、そういった課題やリスクについても理解したうえで、上手に使う姿勢が必要になります。

─□ 検索エンジンとの統合で「調べもの」が変わる!?

多くのユーザーにとって身近な用途として、今後は調べものに対話型の文章生成AIを使うケースが増えていくかもしれません。Microsoftが検索エンジンと対話型AIの統合を行い、Googleもチャット形式で利用できるAIの開発を進めるなど、各社も新たな動きを見せています。「Web検索＋文章生成AI」での情報収集の新たなスタイルも今後広がっていきそうです。

ChatGPTが公開され文章生成AIが一般に広く認知されるようになったのは2022年11月末。本書の刊行時点ではまだ日が浅く、今後どのような形で普及・定着していくかは未知数です。本章では、ビジネスに関するさまざまな分野について、現時点でどのようなことができるのか、そして今後どう進化していく可能性があるのかを解説しています。

4-0-1 MicrosoftはOpenAIの対話型AIと検索エンジンを統合した新しい「Bing」を発表。調べもののスタイルが変化しそうだ

文章生成AIは、ビジネスの
どんな用途で役立つの?

文章生成AIサービスは、ビジネスの場でも多くの活用の可能性があります。まずは、文章生成AIのサービスに関わるプレイヤーの構成や、おもな用途について古川さんに教えていただきました。

■ 文章生成 AI サービスにはどんなものがある?

ChatGPT以外にも、AIを使って文章を生成するサービスがありますよね?そうしたサービスについても教えてください。

生成系AIに関わるプレイヤーは大きく2種類に分けられます。まずOpenAIのように**AIのモデル自体を作っている企業**、そしてそれら**既存のAIモデルを使ってサービスを開発して販売する企業**です。

既存モデルを使うというのは、OpenAIなどが出しているAPIなどを使ってサービスを作っているということでしょうか?

そうです。自社ではAIのモデルは作らず、既存のモデルに独自のデータやノウハウを加えることで、特定の領域に強みをもったサービスを作っているケースも多いですね。

独自のデータやノウハウというのは、たとえばどんなものですか?

その企業ならではの知見のようなものですね。たとえば、私たちの会社では「Catchy」という文章生成サービスを提供していますが、同時にデジタルマーケティングに関する業務も手がけています。そこで得た知見を使って**もとのAIモデルを調整することで、生成結果をより最適化**できるようにしています。

 どんな調整を行うかによって、「キャッチコピー生成が得意」「メール文面の作成に特化」などの**差別化ができる**ということですね。

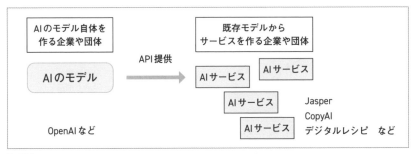

4-1-1 業界のプレイヤーは、OpenAIのようなモデル自体を開発する企業と、それをベースに独自のサービスを作る企業に大別できる

文章生成AI活用の可能性があるのはどんな分野？

 文章生成AIを実際にビジネスで活用していくことを考えた場合、どんな分野に可能性があるんでしょうか？

多くの分野で活用が可能です。大きく分けると、**「コストを削減する」「売り上げに貢献する」**という2つの観点から考えられると思います。

 コスト削減というのは、具体的にどんな用途ですか？

これはとてもシンプルで、これまで**外注していた業務にAIを活用することで外注費を削減する**というものですね。

**今まで人に発注していた仕事を、AIに指示を出して進めるように
する**ということでしょうか？

そうですね。たとえば、SNSの運用やブログ記事の制作といった
業務について、今まではディレクターが外部のスタッフ数人に発注
して進めていたものを、ディレクター1人だけで賄えるようになる
かもしれません。

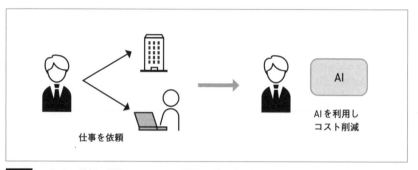

4-1-2　これまで外部に発注していたSNS運用やブログ記事の制作といった業務にAIを使うこと
で、外注費を削減するなどの効果が期待できる

2つ目の売り上げへの貢献というのは、具体的にどんな使い方で
しょう？

営業担当者がお客さんからのメールに返信する場合などが考えら
れると思います。たとえば、自分が過去に出したメールの文章のテ
イストや内容をAIに学習させることで、メールソフトを開くと返
信の下書きがすでにできあがっているようにすれば、その後の作業
がかなり楽になりますよね。

それができたらすごいですね。人間はそのメールを編集して、送
信するだけということですね。

そうやって**効率化することによって、結果的に多くのお客さんと**
コミュニケーションがとれるようになり、それが売り上げ向上につ
ながる可能性もあります。

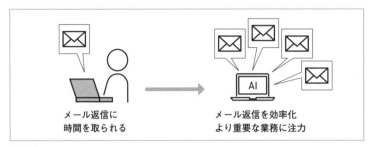

4-1-3　メール返信などを補佐するツールとして文章生成AIを活用して業務を効率化することで、より重要な業務に時間を割けるようになる

それ以外では、どんな用途で活用の可能性がありますか？

企画書や提案資料、プレスリリースなども、最初にAIで大まか
なものを作って手直しする形をとることで、**ゼロから自分で作る場**
合に比べて生産性が向上するはずです。

最終的に仕上げるのは人間だけれど、そのプロセスをAIを使っ
て短縮するというイメージですね。

単純に外注を減らしてコスト削減することに加えて、こういっ
た**日常業務の効率化にAIを活用することが重要**だと思います。む
しろ、**それができないと企業として生き残るのが難**
しい時代になっていくかもしれませんよ。

文章生成AIのビジネス活用には、「コストを削減」と「売り上げ
への貢献」の2つの視点があり、両方の視点を持つことが重要なん
ですね。**今の業務のプロセスのなかで、文章生成AIを使って省力**
化できそうな部分を探して取り入れていくことが必要になりそうで
すね。

Web記事を作成する

企業のブログ記事などのコンテンツは、文章生成AIを活用できる可能性の高い分野です。GPT-3などを使った各サービスとChatGPTの違いや、制作にあたって意識したいことを古川さんに聞きました。

■ Web 記事を AI で作ることはできる？

ビジネスの場での文章生成AIの活用でまず思い浮かぶのが、企業ブログなどの**コンテンツ制作**で使うケースです。これはChatGPTでも可能なのでしょうか？ もしくは、GPT-3などを使ったほかのサービスを使うほうがいいんですか？

もちろん**ChatGPTを使うこともできますし、ブログ記事などに最適化されたサービスもあります**よ。海外のものであれば、「Jasper」や「CopyAI」（ともに1-4参照）が大きなシェアを占めています。

どちらも日本語の生成には対応しているようですが、サイト自体が英語なので、ちょっとハードルが高い印象です。日本のサービスにはどんなものがありますか？

私たちが運営する「Catchy」も、国内では広くご利用いただいていますよ。ちなみに手前味噌で恐縮ですが、Catchyの場合、1回の操作で記事を作り上げるのではなく、ステップバイステップで記事制作を進められるようになっていることが特徴です。

人が自分で記事を書く場合、まずタイトルを考えて、次にどんな内容を含めるかを考えたうえで見出しを作り、その後、それぞれの見出しに沿って本文を書く……という段階を踏みますね。

そうですね。Catchyではそれと同じような手順で進めることになります。たとえば、「AIのビジネス活用の可能性」についての記事を書きたい場合は、「タイトル作成」の欄にそのトピックを入力すると、タイトル案が生成されます。

4-2-1　Catchyの「記事制作ワークフロー」の画面。最初に記事のトピックを入力すると、タイトル案が生成される

「ビジネスがAIから恩恵を受ける3つの方法」「AIはどのようにビジネスパフォーマンスを向上させることができるのか？」など、記事タイトルにありそうなものが出てきました。

タイトルが決まったら、続いて「導入文作成」に移動して、記事の概要を入力します。

記事の概要は自分で考える必要があるんですね。

導入文が作成できたら、それをもとに見出しを作成し、最後に本文の生成を行います。

見出しが生成された段階など、途中で自分でテキストを編集することもできるんですね。手直ししながら進めることで、よりイメージしているものに近い結果を生成できそうです。

そうですね。私たちは**AIに丸投げするのではなく、作成者の意志をきちんとAIに伝えて、それを反映させることが大切**だと考えているので、**あえて「ワンクリックですべて生成」のような形には**していないんです。

 「どんな記事を作りたいか」という**全体の方向性などは、作成者自身が考えて指示する必要がある**ということですね。

4-2-2　記事の概要は自分で入力。その後の導入文や見出し作成の段階でも、必要に応じて編集を加えながら作成を進められる

ChatGPTと特化型サービスは何が違う？

 ちなみに、Catchy や Jasper、CopyAI のようなサービスと、ChatGPT は何が違うんですか？

ブログ記事を書く、キャッチコピーを作るといった**特定の目的を想定して作られている**点がいちばんの違いですね。ChatGPTの場合、どんなテキストでも生成できますが、そのぶん目的に合った結果を出すためには、指示のしかたにテクニックが必要になります。

第2章で教えていただいた、「前提となる情報をしっかり伝える」
という部分ですね。

　そうですね。一方で、たとえばCatchyの場合、使っているモデ
ルはGPT-3になりますが、**前提にあたる部分をあらかじめ設定して**
いるので、シンプルな指示でも目的に沿った結果を出しやすくなっ
ています。

 　ChatGPTで的確な指示を出せる自信がない、試してみたけれど
思いどおりの結果を出せない、といった場合に役立つということで
すね。

　そうですね。誰が使っても一定のクオリティで結果を生成できる
ことが、ChatGPTと比べた場合の強みになっています。

 　AIに丸投げするのではなく、生成者自身がある程度編集を行う
前提であれば、ブログ記事などのコンテンツの制作に文章生成AI
が十分活用できる可能性があることがわかりました。その際には、
自分がどの程度AIを使いこなせるかに応じてChatGPTか特化型の
サービスを選ぶといった使い分けをするのがよさそうですね。

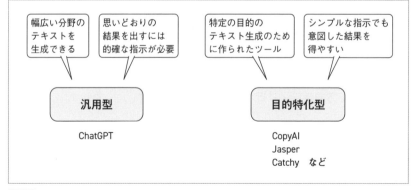

4-2-3　ChatGPTは広い用途で使えるが、指示のしかたにスキルが必要。特化型サービスは、シン
プルな指示で目的に合った文章を生成できる

キャッチコピーや企画を考える ときに活用する

長い文章を生成するだけでなく、キャッチコピーや企画案を考える場合にも文章生成AIは役立ちます。具体的にどんな用途で使えるのか、また使いこなすためのポイントを知っておきましょう。

■ 長い説明から短いキャッチコピーを作る

　広告で使う**キャッチコピー**のような、短いテキストの生成にもChatGPTは利用できますか？

できますよ。第2章でもお伝えした通り、**できるだけ具体的に前提条件やどんなキャッチコピーを作りたいかを指示することがポイ**ントになります。

　この本のキャッチコピーを想定して、「『文章生成AIのビジネス活用の可能性』について書いた本の宣伝に使う、未来に希望が持てるような日本語のキャッチコピーの候補を10本考えてください。」と指定してみました。

いいですね。「未来に希望が持てる」などの指示が入ることで、イメージした方向性により近づけられると思います。

　「あなたのビジネスを加速させる文章生成AI」「文章生成AIで限界を超えるビジネスの新常識」などのキャッチコピーが生成されました。これはもとの文章を要約しているわけではないんですか？

もとの文章と比較するとわかると思いますが、もとの文章にはないフレーズも生成していますよ。

たしかに！「限界を超える」なんていう言葉は、もとの文章には書いてないですね。

これが文章生成AIならではの強みなんです。要約するAIの場合、もとの文章に含まれていた事実ベースの情報しか書けないのですが、文章生成AIは**新たなフレーズを生成して加えることで表現の幅を広げる**ことができます。

 「文章生成AIのビジネス活用の可能性」について書いた本の宣伝に使う、未来に希望が持てるような日本語のキャッチコピーの候補を10本考えてください。

1. "文章生成AIで、未来への扉を開けよう"
2. "あなたのビジネスを加速させる文章生成AI"
3. "新しい時代のコミュニケーションツール、文章生成AI"
4. "文章生成AIで限界を超えるビジネスの新常識"
5. "人工知能による文章創造、ビジネスに生かす方法"
6. "文章生成AIがもたらす変革、ビジネスに活かす方法"
7. "未来のコミュニケーション、文章生成AIが導く道"
8. "人工知能による文章生成、ビジネスにおいての最先端手法"
9. "文章生成AIがビジネスのパフォーマンスを大きく向上させる"
10. "ビジネスの新しいフロンティア、文章生成AIへの挑戦"

4-3-1 ChatGPTで生成したキャッチコピー案。「本の宣伝」「未来に希望が持てるような」などの言葉で具体的な方向性を指定した

でも、ChatGPTに的確な指示を出すのは結構難しいですよね。思いどおりに結果が出るまで、何度か試行錯誤する必要がありそうです。

その場合、キャッチコピーの生成に最適化されているサービスを利用すると便利ですよ。たとえばCatchyには、キャッチコピー生成のツールが用意されています。

Catchyの場合は、キャッチコピーのもとになる文章を入れて、雰囲気を指定するだけでいいんですね。これなら悩むことなくすぐに使えそうです。

■ 企画のアイデアを練る場合にも役立つ

　新たな**企画を考える**場合などにも使えるんですか？

　ChatGPTを使って作成するなら、どんな人に向けた、どんなコンテンツを作りたいのかを、**できるだけ具体的に指示する**といいですね。

　　たとえば、この本の目次案を作る場合なら、「ビジネスパーソン向け」のような指定は必須ということですね。

　それだけでなく、**「100万部を突破するためのおもしろい目次案」くらい具体的な指示**を入れてもいいかもしれませんよ。

 Chat GPTについてのビジネスパーソン向けの本を作っています。100万部を突破するための、おもしろい目次案を箇条書きであげてください

1. "ChatGPTの基礎と技術: 導入から実装までの一連の流れ"
2. "ChatGPTを使ったカスタマーサポートの最適化"
3. "ChatGPTを使ったコンテンツ生成の新しい可能性"
4. "ChatGPTを使った業務効率化: 自動化によるタスク軽減"
5. "ChatGPTを使ったビジネスインテリジェンス: データ分析・予測における活用"
6. "ChatGPTのセキュリティーとプライバシー: 適切な管理方法"
7. "ChatGPTの未来展望: 新しいアプリケーション・技術のトレンド"

4-3-2　ChatGPTで生成した本の目次案。テイストがやや堅かったため、この後「もう少し柔らかく」と指示をして調整を行った

　　具体的な指示をしすぎると、AIにうまく受け取ってもらえないのではと考えてしまいがちですが、ChatGPTの場合は具体的であればあるほどいいという感じなんですね。

そうですね。前提条件や具体的な指示は、「ちょっと指示が多すぎるかな？」と思うくらい多く入れてもいいと思いますよ。

■ 「膨らませる」用途と「発散する」用途

ここまでの使い方を見ると、**短い文章を膨らませて1つのまとまった文章に仕上げていくような使い方と、キャッチコピーや企画を考えるような、アイデアを広げていく使い方がある**ように感じました。

そのとおりです。もととなる情報がある程度用意されたものを形式の決まった文章の形にする **「膨らませる」** 用途と、アイデアを新たに生み出したり、AIを壁打ち相手にしたりするような感覚で使う **「発散する」** の2種類に大別できます。

いずれの場合も、**目的に特化したサービスを使う場合は、それぞれの用途に合ったものを使い、汎用型のChatGPTを使うなら、できるだけ具体的な指示を行うことが大切**ということですね。

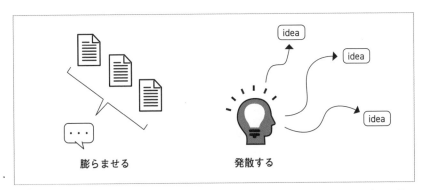

膨らませる　　　　　発散する

4-3-3　文章生成AIの用途は、もとのテキストからまとまった文章を作る「膨らませる」と、新たなアイデアを得る「発散する」に大別できる

4

カスタマーサービスに活用する

ビジネスシーンでの顧客からの問い合わせへの対応や、マーケティングでの顧客理解といった場面では、文章生成AIはどのように活用されていくのでしょうか？　現状や今後の可能性を知っておきましょう。

顧客対応にはどう生かす？

顧客対応やカスタマーサポートのような分野でも、文章生成AIを活用できる場面はありますか？

多くの場面で活用できます。たとえば**メール返信は、かなり実用性の高い分野**だと思います。「Ellie」というサービスは、2022年末のサービス公開直後から大きな注目を集めています。

具体的に、どうやって使うものなんでしょうか？

ChromeやFirefoxの拡張機能として提供されているサービスで、**メールの文脈を理解したうえで、返信を作成**してくれます。

AIが返信の文章を生成してくれるんですね。最終的には自分で仕上げを行うことになるとは思いますが、大まかな返信だけでも自動で生成できれば、かなり楽になりそうです。

過去の返信メールから文体を学習するので、まるでその人が書いたかのような文体で返信を作成してくれることも特徴です。

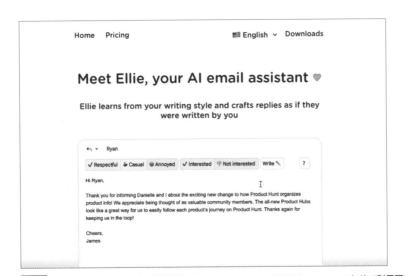

4-4-1 「Ellie」は、ブラウザの拡張機能としてインストールすることで、Gmailなどで利用可能になる
https://tryellie.com/

チャットボットの精度向上につながる可能性も

　このほかには、どんな分野で活用が期待できそうですか？

　チャットボットへの活用は大いに期待できると思います。従来のチャットボットは、質問に対する返答があらかじめ用意されたルールベース（1-5参照）でしたが、そこに**文章生成AIが使われることで、より高性能なものになっていく**可能性があります。

　現状のルールベースのチャットボットと比べると、精度はどのくらい上がるんでしょうか？

　ルールベースのチャットボットでも、細かいルールの設定をしっかり行っている場合は、比較的高い精度で返信を行えるので、文章生成AIに切り替えることでどの程度の精度向上につながるかは、じつは一概にはいえない部分なんですよね。

なるほど。現状のルールベースであっても、作り方次第では十分な精度を出すことができるけれど、文章生成AIによって人間が細かい設定をする手間なく、簡単に高精度なチャットボットを作れるようになるということなんですね。

回答ルール　Bot　文章生成AI　ChatGPTなど

4-4-2 カスタマーサービスに使うチャットボットを、ルールベースのものから文章生成AIを使ったものへ置き換えられる可能性もある

■ 電話対応での活用の可能性は？

 メールやチャットだけでなく、**電話対応に活用**できる可能性もありますか？

「Speech to Text」と呼ばれる、音声をテキスト化する技術は各社がサービスを出していて、OpenAIも、「Whisper」というオープンソースのモデルを2022年9月にリリースしています。

 それらのサービスを使えば、**電話の音声をテキスト化するのは難しいことではない**ということですね？

そうですね。テキストにしてしまえば、あとは**それを使って文章生成AIの要領で返答を得る**ことができます。

 その**返答を音声に変換してお客さんの電話に対応する**なんていうことも可能なんでしょうか？

十分できると思いますよ。それは「Text to Speech」という合成音声の領域になり、すでに広く使われています。

つまり、お客さんの電話の音声をテキスト化することさえできれば、返答文を作り、それを音声で返すまで自動で行える可能性もあるということですね。かなり便利になりそうです。

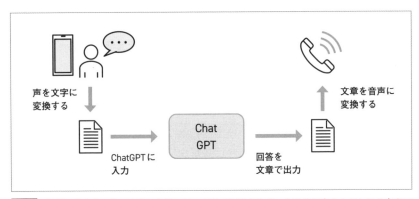

声を文字に
変換する

ChatGPTに
入力

Chat
GPT

回答を
文章で出力

文章を音声に
変換する

4-4-3 電話の音声をテキスト化した後、ChatGPTで返答を生成。その後再度テキストから音声に変換することで電話対応を行うイメージ

■「集合人格」をサービス向上に生かす

ここまでにお聞きしたような、お客さんからの問い合わせに直接対応する業務ではなく、**リサーチのために市場の声を聞きたい**といった用途でも、文章生成AIを使うことはできますか？

これも可能性のある分野ですね。私が注目しているのは、これまでに収集したデータを使って顧客の「**集合人格**」を作り、商品開発などに生かす方法です。

集合人格ですか？ 一体どんなものなんでしょう……？

企業が持っている自社の**顧客データをAIに学習させて集約し、商品開発などの際にその「人格」とチャットをして意見を聞く**、という使い方をします。

商品開発のために顧客の意見が知りたいとなれば、従来であれば
インタビューをしたり、モニターを募って試作品を使ってもらった
りという形をとりますよね。その代わりということですか？

そのとおりです。**これまでに集まった顧客の声に基づいて年齢や**
性別、属性ごとの擬似的な顧客をつくり、新商品の開発やパッケー
ジデザイン選定についての意見を聞きます。

すでにそういったサービスは出ているんですか？

海外では、「viable」というサービスが注目されています。国内
でも似たようなサービスが出てくるかもしれませんね。

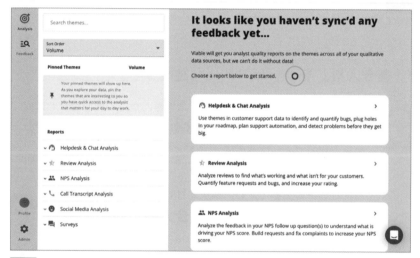

4-4-4 「viable」は、既存の顧客データを使用。チャット形式で顧客のニーズを把握できる
https://www.askviable.com/

大量の顧客データが集まっているものの、それを活用できていな
いという企業は多そうです。眠っているデータを生かせるうえに、
リサーチのための時間や費用も大幅に削減できることを考えると、
かなり期待できそうですね。

顧客の数値化できない情報を可視化することや、その情報をコ
ミュニケーションに生かすことに役立ちます。**顧客理解での活用と
いう意味では大きな可能性がある**と思っています。

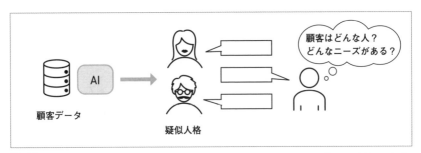

顧客データ

疑似人格

顧客はどんな人？
どんなニーズがある？

`4-4-5` 自社に蓄積された顧客データをAIに学習させることで、顧客の「疑似人格」を生成。
チャットを通してニーズなどを把握する

ここまでにうかがってきた事例を振り返ると、カスタマーサポー
トなどの分野では、かなり広く活用できそうですね。

そうですね。じつは文章生成AI以外でも、商談の場でAIを活用
する試みはかなり進んでいるんですよ。たとえば、**電話の声に対し
て抑揚などから感情を分析**したり、オンライン商談の映像から**笑顔
の比率や表情の変化などを読み取って顧客の心情を理解**する手がか
りにしたりといった試みも行われています。

そこに文章生成AIが加わることで、より多くの用途が生まれて
きそうですね。

そうですね。**より効率的で的確な顧客のサポート**が可能になって
いくことが期待できると思います。

まずはここでお話しいただいたような、メール対応やチャット
ボットでの活用、その先には音声での電話対応や疑似人格を作成し
ての顧客理解などの活用ですね。今後が楽しみです。

プログラミングに活用する

ChatGPTなどの生成系AIを使って、プログラミングコードを生成することも可能です。どの程度のことまでできるのか、また、生成されたコードについての権利関係の問題についても知っておきましょう。

■ AIはどこまでプログラムを書ける？

ChatGPTは、「**プログラミングコードが書ける**」ことが登場直後から大きな話題の1つになっていました。実際、どの程度のことまでできるんでしょう？

現状できることとしては、すべてをAIに丸投げしてコードを書いてもらうのではなく、**プログラムの部品のようなものをAIで生成するというイメージ**ですね。

たとえば、Webサービスのコードを書く場合なら、ChatGPTに命令すれば、そのままでサービスを開始できる状態のコードが出てくるわけではないということですね。

そうなんです。なので、**人間の作業を完全に置き換えられるようになるにはまだまだ遠い**段階だと思っています。

実用レベルになるには、まだ時間がかかるということですか？

そんなことはありませんよ。たとえば、**既存のコードのレビュー**などであれば、現段階でも十分に活用できます。

既存のコードの誤りや改善点を探すために、内容をチェックするような作業ということですか?

そうですね。たとえば、他人の書いたコードについて、どのような意図で書かれたものなのかを解釈するのは時間がかかります。そういった作業に活用することで、効率化を図れます。

 このほかには、どんな用途で使えそうですか?

テストコードと呼ばれる、動作確認のためのコードを書く場合に使えますね。

 プログラムが正常に動くかどうかを確認するために使うコードということですか?

はい。テストコードには大量の「場合分け」が発生することが多く、そのすべてに対応したコードを書くのは時間がかかります。これをAIで生成すれば効率が大きくアップします。万が一バグがあっても致命的でないため、自動生成する価値はあると考えられます。

4-5-1 プログラムの一部を生成したり、既存のコードをレビューしたり、テストコードを生成したりといった用途ならAIは十分に活用可能

 文章を書く場合も、すべてをAIに丸投げするのではなく、人が書くのを補佐するような使い方をしましたね。プログラムの場合も同じように考えればいいということでしょうか。

そうですね。**補助的な使い方であれば、ここでお話した2つの用途などはすでに実務で使えるレベルに達している**と思っています。

■ プログラム生成に特化したサービスも

　ChatGPT以外にも、プログラミングコードの生成に対応しているAIのサービスはあるんですか？

「GitHub Copilot」というサービスが有名ですね。これは、エンジニア向けのコード共有サービスのGitHubとOpenAIが共同開発したサービスです。

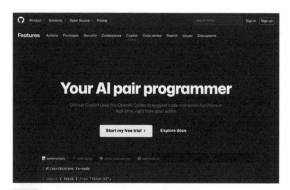

`4-5-2` 「GitHub Copilot」は、プログラムを生成したり、途中まで書いたコードの続きを生成したりが可能
https://github.com/features/copilot

　指定したプログラムを自動生成したり、人が途中まで書いたコードの続きを書いたりできるんですね。便利そうです。でも、**プログラムには著作権が発生する**場合もありますよね。これはどうやって学習しているんですか？

GitHub上で共有されているコードを使用しているとされていますが、じつはアメリカでは、**規約違反にあたるのではと指摘**されて、OpenAIとGitHub、そしてGitHubの親会社であるMicrosoftを相手に集団訴訟が起きているんです。

著作権的に問題のないコードだけを学習しているわけではなかったということですか？

GitHub上のコードを使って新たなコードを生成することが、GitHubの利用規約に反しているのではないかというのが訴訟している側の主張ですね。

文章の場合、学習元にそっくりなものが生成される可能性は比較的低いものの、**プログラミングコードの場合は、学習元がわかる形で生成されてしまう可能性**も否定できないということでしたね（2-7参照）。

そうですね。生成系AI自体、一般に普及し始めてまだ日が浅いので、権利問題を含めたさまざまなルールについては、今後議論を進めていくことになるでしょうね。

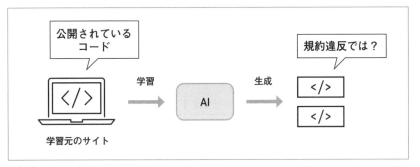

4-5-3 GitHubに公開されたデータを学習して、コードを生成するのは規約違反ではないかと指摘され、集団訴訟が起きている

前半で教えていただいたような、既存のコードをレビューしたり、テストコードを生成したりといった用途であれば、権利侵害や致命的な不具合が発生するなどの問題は比較的起きにくいかもしれません。まずはそういった用途での活用が業務効率化につながっていけばいいですね。

創作活動に役立てる

ここまでは、ビジネスなどの実用的な分野における文章生成AIの活用の可能性について見てきましたが、創作の分野でもAIを使うことはできるのでしょうか？ AIを使った小説などの現状を聞いてみました。

■ AIは小説も書ける！

　　　小説などの創作でも、文章生成AIは使えるんでしょうか？ 創作は「人間だからできるもの」というイメージもありますが……。

小説を生成するAIは、じつは日本ではChatGPTが登場する以前からかなり活発に使われているんですよ。

　　　小説に特化したツールがすでにあるということですか？

日本発のサービスなら、「AIのべりすと」「AI BunCho」などがあります。

　　　「AIのべりすと」の場合、小説の書き出し部分を入力することで、続きを生成できるんですね（次ページの画面）。

キャラクターの設定や、会話と地の文の比率、改行の量といった小説の細かい部分の設定もできます。

　　　一気に続きが生成されるわけではなく、数行ずつ書き足されていって、納得がいかない場合は再生成もできるんですね。試行錯誤しながら、理想の形に近づけていけそうです。

4-6-1 「AIのべりすと」の小説生成画面。書き出し部分を入力すると、続きが自動生成される
https://ai-novel.com

　生成のテクニック次第では、かなりクオリティの高い作品を生み出すこともできます。実際に、文学賞の「星新一賞」では、2022年には**AIで作られた作品が入選**しています。

　そもそも、AIを使った作品で文学賞に応募できるのですか？

　星新一賞の場合、応募規定で「人間以外（人工知能等）の応募作品も受け付けます」と明記されているんです。

応募規定

応募資格

■応募部門は、一般部門、ジュニア部門の2部門です。

■一般部門に年齢制限は設けませんが、一般部門、ジュニア部門に同じ作品を重複して応募することはできません。

■グループによる共同作品の応募や学校単位での参加を認めます。複数の執筆者による共同作品の場合、応募フォームには代表者1名の情報を記載し、ペンネームの欄にグループ名を記載してください。ジュニア部門への応募については、グループメンバー全員が締切時点で応募基準を満たしていることが条件となります。

■応募原稿は、日本語による未発表原稿に限ります。また、他の文学賞等との二重投稿はご遠慮ください。フォーマットは縦書きを推奨といたします。

■人間以外（人工知能等）の応募作品も受け付けます。ただしその場合は、連絡可能な保護者、もしくは代理人を立ててください。人工知能をどのように創作に用いたのかを説明して頂く場合があります。

■人工知能を創作に用いた場合でも、審査に影響する事はありません。またその情報は審査期間中は審査員へ明かされません。

4-6-2 「星新一賞」の募集要項（2022年、第10回のもの）。人工知能などを使った応募作品も受け付けることが明記されている

募集要項に書かれた、（人工知能の作品を応募する場合は）「連絡可能な保護者、もしくは代理人を立ててください」という注意書きはなんだか不思議な感じですね。

　これは先進的な試みの1つではありますが、**創作の領域でもAIの活用は少しずつ受け入れられ始めている**と思います。

　でも、やっぱり現時点では、AIを使って小説を書くことに対して、批判的な見方をする人もいるのでしょうか？

　もちろん、肯定的に受け入れる人ばかりではないと思いますよ。小説投稿のプラットフォームによっては、完全にAIだけで作った作品の投稿に一定の規制を設ける動きも出ています。

　画像生成AIなど、ほかの生成系AIの創作でも同じような課題や議論を耳にします。しばらくの間は賛否いろいろな声が挙がるのかもしれないですね。

AI が標語や俳句を作ることは可能？

　AIが苦手な創作の分野もあるんでしょうか？ たとえば、**標語**のような短いものは、かえって難しかったりしますか？

　そんなことはないと思いますよ。**標語については、先ほど試したキャッチコピー生成の要領で作ることができます。** さらに、過去の標語コンクールの入賞作品を学習させて、それらしい標語を作るなんていうことも可能かもしれません。

　なるほど。一定の型があるものはAIでも比較的生成しやすいということですね。俳句などはどうですか？「季語を必ず入れないといけない」など、独自のルールが多いので難しそうです。

ChatGPTそのままでは難しいと思いますが、これも俳句に特化した学習をさせることで可能になるかもしれませんよ。

あらかじめそれぞれの季節の季語を学習させておいて、指示をするときに「春の季語を必ず1つ使ってください」と指示するようなイメージでしょうか？

そうですね。特定の目的に合わせたテキストを生成したい場合は、ChatGPTやGPT-3などのモデルそのままではなく、目的に合わせた調整を行うことで最適化が可能になります。

その調整次第では、いろいろなジャンルの創作でAIを使える可能性があるということですね。

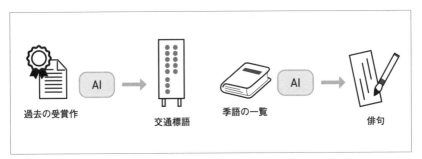

過去の受賞作　　　交通標語　　　季語の一覧　　　俳句

4-6-3　標語や俳句などをAIで作る場合、過去の作品や季語の一覧といったデータを学習させて調整を行うことで、最適化できる可能性がある

小説など創作分野でのAI活用が、想像以上に進んでいることに驚きました。**今後はAIと人間の協業で作られた作品もたくさん生み出される**ようになっていくのかもしれません。

対話型AIを検索エンジン代わりに使うことは可能？

どんな質問にも答えてくれる対話型AIは、調べものに活用できそうです。今後検索エンジンに代わる可能性はあるのでしょうか。検索エンジン大手企業の動向について把握しましょう。

■ AI が検索エンジンの補佐役になる！？

 ChatGPTのようなAIはどんな質問にも答えてくれますが、そうなると**検索エンジンのような使い方**もできそうです。今後検索エンジンが対話型AIに置き換えられていく可能性もありますか？

完全な置き換えが起きるかどうかは別として、統合の動きは進んでいますよ。Microsoftは2023年2月に、同社の検索エンジン「Bing」に、次世代の対話型AIモデルを搭載すると発表し、すでに利用できるようになっています。

 Bingは、検索エンジンとしてはややマイナーな感じがしますが、それがパワーアップするんでしょうか？ 何ができるんですか？

MicrosoftのWebブラウザ「Edge」からBingで検索を行うと、検索結果画面の右側にチャットのウィンドウが表示され、そこからチャット画面に移動して、対話型のやりとりを行えます。

 ChatGPTとは何が違うのでしょう？

Webの検索の結果を参照して、それに基づいて回答されます。どのWebページを参照しているのかも明示されますよ。

ChatGPTの場合、学習を行った時期よりあとの情報は答えることができないということでした。その弱点を補完してくれるんですね。AIのモデル自体は、ChatGPTと同じものですか？

　ChatGPTで使われているGPT-3.5より強力なモデルを搭載しているといわれています。

　ChatGPTよりさらに高性能になっているということなんですね。**ChatGPTと検索のいいとこ取り**で、調べものが効率化しそうです。

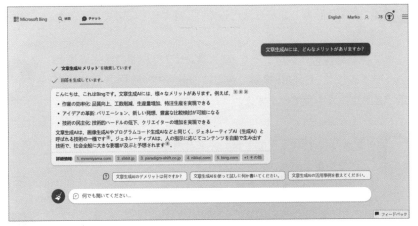

4-7-1　Bingの対話型AIは、Web検索の結果を反映して回答。参照元のWebページのリンクも記載される

　Web検索にはGoogleを使う人が多いかもしれませんが、今後はこの機能のためにBingに乗り換える人も出てくるんでしょうか？

　Googleも対話型AIサービスの「Bard」（バード）を発表していますよ。次ページの画像は同社が開発を手がけたAIモデル「LaMDA」（ラムダ）を利用したものとなります。

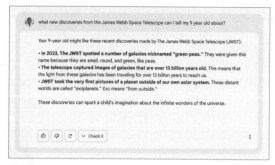

4-7-2 Google も対話型 AI サービス「Bard」を発表。同社の AI モデル「LaMDA」が採用されている

Google は独自の AI を採用する方向なんですね。今後は OpenAI と切磋琢磨しながら進化していく感じになるのでしょうか。

そうかもしれませんね。ちなみに、Web ブラウザの拡張機能という形であれば、**Google 検索の画面に ChatGPT の回答を一緒に表示できるツール**も出ていますよ。

それも便利そうですね。従来どおりのブラウザで使えるということですか？

そうです。たとえば、「ChatGPT for Search Engines」という拡張機能は、いつも通り **Google 検索をすると、その検索ワードを ChatGPT に入力したときの回答が、画面右側に表示**されます。

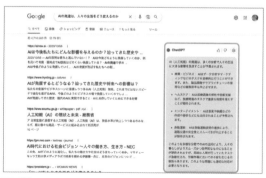

4-7-3 「ChatGPT for Search Engines」は、Chrome、Firefox、Edge 向けに提供されている

これらのツールの登場で、「Webで調べものをする」という体験自体が、大きく変わっていくんでしょうか？

うーん……。本質的に体験を変えるものというより、**あくまでサポートをするための存在**と考えるのが妥当でしょうね。

それはなぜですか？

たとえば、自分が何を知りたいのか、何を学びたいのかを言葉にできないと、情報にたどり着くことはできませんよね。

「深層学習について学びたい」と思っていなければ、対話型AIに質問することもないですし、そもそも深層学習という言葉をまったく知らなければ、何と聞いたらいいかもわからないということですか？

そうです。**完全に受け身の状態では情報にアクセスできないという点は、これまでのWeb検索と同じ**だと考えられます。なので、根本的なところが大きく変わることはないでしょう。

──■ 論文の検索＋対話型AIのツールも

検索＋対話型AIを組み合わせたツールは、このほかにもあるんでしょうか？

論文検索に特化した「Elicit」というサービスは、かなり利便性が高いなと感じています。

Google検索などで論文を検索するのとは何が違うんですか？

Googleのようなキーワード検索で**論文を検索して結果を表示す**ることに加えて、論文の内容について、まるで著者と会話をするような感覚で要点を抽出できるんです。

4-7-4　論文リサーチサービス「Elicit」は、論文の内容を質問形式で要約・抽出できる
https://elicit.org/

 知りたいことを対話形式で調べられるうえに、質問の回答が論文のどの部分に記載されているかまで教えてくれるんですね。

このような、自分から能動的に情報を取りに行く体験については、これまでの検索に対話型AIが組み合わさることでかなり変わるかもしれませんね。

■ 完全な置き換えは起こる？

 ここまでに紹介していただいたツールは、既存の検索に対話型AIがプラスされて両者を併用するような形ですよね。いずれ**Web検索は使われなくなり、対話型AIだけで調べものが完結するような時代も来るんでしょうか？**

まず、現時点のChatGPTなどのモデルは、最新の情報について答えられないという大きな弱点があるので難しいでしょうね。

　その弱点が技術的に解消されたら、検索を使わないようになる可能性もあるということですか？

どうでしょうね。その場合も、プレイヤー側としてはビジネスモデルとしてどうやって成立させていくかという課題が残ります。

　BingやGoogleといった現在の検索エンジンは、検索結果に連動して表示される広告から収益を得るビジネスモデルですね。**チャットで完結するようになって検索が使われなくなったら、その広告を見る人がいなくなってしまう**ということになります……。

現状では、そのビジネスモデルがないと継続的にサービスができないので、すぐに検索が完全に置き換えられることは考えにくいかもしれません。

　まずは検索エンジンと対話型AIを併用するタイプのツールが広がっていくという感じですね。今後、ビジネスモデルを含めてどう変わっていくかも含めて注目していきたいと思います。

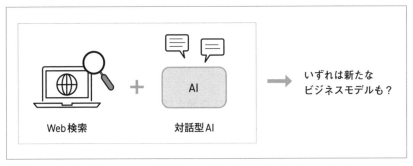

4-7-5　当面は従来の検索エンジンと対話型AIが併用される。その後、新たなビジネスモデルが生まれる可能性もあるかもしれない

対話型AIのサービスを自社開発する場合に意識すること

既存のAIモデルを使い、文章生成AIを自社で開発する場合、どんなことを意識すればいいのでしょうか？ もとのモデルとの差別化の方法や必要となる考え方について、古川さんに聞きました。

■ 開発企業が意識すべきことは？

ここから少し話は変わって、**文章生成AIのサービスを自社で開発したいと考えている場合**について教えてください。

GPT-3やChatGPTのモデルを使って、これからサービスを提供していきたいと考えている企業に向けた話ということですね。

これからさまざまなサービスが出てくると思います。そのなかで、ユーザーにしっかり使い続けてもらえるものを作るためには、どんなことを意識すればいいんでしょうか？

まず重要なのは、**もととなるモデルをそのまま自社サービスに載せるだけでは意味はない**ということですね。それだと、もとのモデルとできることは同じなので。

それなら普通にChatGPTを使えばいいという話になりますもんね。では、何をすればいいんですか？

4-1でも触れたように、**自社独自のデータやノウハウを生かして、もとのモデルを調整したり、ユーザーが的確な指示を出せるようにAIに対する指示文を工夫**したりしていくことが大切です。

ユーザーに「ChatGPTより使い勝手がいい」と感じてもらうための工夫が必要ということですね。

あとは、サービスの設計にあたって、**しっかり全体像を描くことも大切**ですよ。

 どんな機能を搭載するかといった部分だけではないということですか？

そのサービスが、ユーザーのワークフローのどの部分をどうサポートするのか、それによって空いたリソースをユーザーはどう活用できて、結果的にどんな好影響があるのかといったところまでしっかり描くことが必要だと思っています。

 「話題になっているからとりあえずサービスを作って出そう」ではよくないということですね。

AIを使うこと自体が目的にならないようにするのは大切だと思います。モデル自体は誰でもアクセスできるものなので、それをどう工夫して差別化していくかが重要になります。

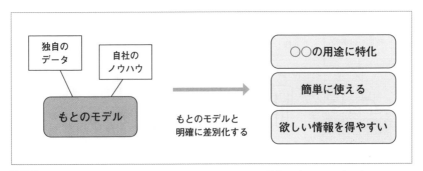

`4-8-1` 既存モデルそのままでは、できることは変わらない。独自のデータやノウハウで、いかに差別化していくかが重要になる

■ 「小部屋に分かれた図書館」をイメージする

 ChatGPT自体と、GPT-3やChatGPTのAPIを使って開発するモデルの棲み分けについて、もう少し具体的にイメージできるようになりたいと思っています。

図書館をイメージするといいかもしれません。Web上の情報が図書館の本だとして、**ChatGPTは必要な本を教えてくれる図書館司書**です。

 「16世紀の西洋史の本を探しています」などと聞くと、その情報が載っていそうな本を教えてくれるということですね。

そうですね。ただし、本を教えてもらったあとは、自分でその棚の場所まで行かなくてはなりません。

 たしかにそうですね。司書さんに質問する時点でも、自分がどの程度西洋史に詳しいのかを伝えておかないと、ほしいものとは違う本を案内されてしまう可能性がありそうです。

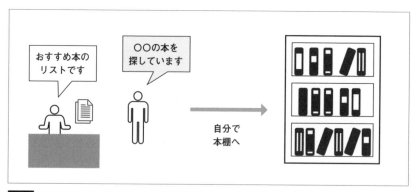

4-8-2 図書館にたとえるなら、ChatGPTの場合はおすすめの本を司書に案内してもらう段階までとなり、本棚までは自力で行く必要がある

一方で、OpenAIが提供しているモデルを使って新たにサービスを開発する場合、「16世紀の西洋史専用部屋」を作ったり、さらに細分化して「中学レベルから学び直したい人の部屋」「本格的に歴史を極めたい人の部屋」を作ったりすることもできます。

その部屋に行きさえすれば、必要な本がピンポイントで揃っているということですね。

そのとおりです。**目的の情報に到達するまでのショートカットを用意する**という感じですね。たとえるなら、司書さんが図書館の蔵書から本をピックアップして小部屋に集めてくれていて、利用者はそこにすぐに案内してもらえるイメージです。

この部屋にあなた向けの本があります

利用者　　司書

4-8-3　既存モデルを使って開発するサービスは、図書館の本を目的別に分類した小部屋のようなもの。そこに行くだけで必要な本が手に入る

GPT-3やChatGPTのモデルを使って自社でサービスを開発する場合、**モデルそのままではなく、独自のデータやノウハウを付加して差別化することが大切**だとわかりました。工夫次第でいろいろな可能性がありそうです。

Googleが開発する言語モデル「LaMDA」

2023年2月に対話型AI「Bard」を発表したGoogleですが、同社は以前から対話アプリケーション用の言語モデルとして「LaMDA」の開発に取り組んでいます。今回発表されたBardにも、このLaMDAが搭載されています。

LaMDAは2021年5月にGoogleから発表された、会話を得意とする言語モデルで、2023年1月までのデータで学習されている点がChatGPTとの大きな違いです。これまで、GoogleはAIサービスの公開に対して非常に慎重な姿勢をとっていました。LaMDAのAPIは公開されておらず、一部のデモアプリを除いて開発者や一般ユーザーが使用することはできませんでした。また、2022年7月にGoogle所属のAIエンジニアが「LaMDAが感情や意識を持っている」という発言をしたことで、Googleから解雇されるというできごともありました。

それでも今回、公開に踏み切ったのは、最近のMicrosoftやOpenAIの動きが大いに影響しているといえそうです。

4-C-1　LaMDAの最初のモデルは、2021年5月にGoogleの開発者向けカンファレンス「Google I/O」のなかで発表された

Generative AI
との付き合い方

Generative AIと
共存する

■ 気持ちよく使うために注意すべきこと

　前章で見てきたとおり、文章生成AIをはじめとした生成系AI（Generative AI）は、手間のかかる仕事を効率化したり、アイデアを広げたりするうえで多くの可能性を秘めています。一方で、安心して使うために注意すべき点や、知っておかなければならないリスクや課題も存在します。

　ChatGPTのような文章生成AIの場合、「生成される内容が正しいとは限らない」「学習を行った時期以降の情報には基本的に対応できない」という点をまず意識する必要があります。そのため、生成結果をWebコンテンツや書類、メールの文面などに使いたい場合、その内容に誤りがないかを人の手でしっかりチェックすることが不可欠になります。また、AIが情報を持っていない直近の話題については、ChatGPT単独では答えを得ることができないため、最初からWeb検索を使う、あるいはWeb検索の結果で回答を補完できるタイプのツールを使うといった対応が必要です。

　このほかに、プログラムコード生成でとくに問題になっている権利問題や、スパムメールの文面作成にChatGPTが悪用されるなど、生成系AIについてのややネガティブな側面についても知っておく必要があります。とはいえ、「問題が指摘されているから」「リスクがあるから」と使わない選択をすることは賢明ではありません。道具である以上、どんなものでも使い方によっては一定のリスクが生じます。それはAIではなく、自動車や包丁といった道具でも同じ

5-0-1 生成系AIをめぐる課題への対応の1つとして、「AIが生成した文章を見分けるAI」も登場している

はずです。「どんなときにリスクが生じるのか」「それを避けるためにどうしたらいいのか」をしっかり理解したうえで、使う側がリテラシーを持って上手に使うことが大切だといえるでしょう。

☐ AIとの共存は可能！

　さらに本章では、AIが発展したあとの未来にも目を向けています。「AIが人間の仕事を奪うのでは？」と不安に感じている方もいるかもしれませんが、現状のAIができること・できないことをかんがみると、そこまで心配する必要はないかもしれません。そんなAIとのよりよい共存の形についても考えていきます。

　画像生成AIがブームに火をつけ、ChatGPTが話題になったことで一気に認知を広めた生成系AIは、これからもさまざまな分野に広がっていく可能性が高いでしょう。「AIをアシスタントにして仕事をする」ことが当たり前になる時代も遠くありません。そのとき、私たちは「自分だからできること」により注力することで、さらによいパフォーマンスを発揮し、「自分だから作り出せる価値」を、世の中に届けることができるようになるはずです。

不正確な生成結果と
どう向き合えばいい?

ChatGPTをはじめとした文章生成AIで作り出された文章は、必ずしも
正しい内容とは限りません。とはいえ、ビジネスで使うには誤情報を排
除することはとても重要です。どうすればいいのでしょうか?

■ 「嘘をつく」AIとうまく付き合うには?

ChatGPTなどの文章生成AIで作られる内容は必ずしも正しいと
は限らないことがわかりましたが、**"平気で嘘をつく"**AIをう
まく使いこなしていくには、どんな心がまえが必要なんでしょう?

繰り返しにはなりますが、ChatGPTなどの生成系AIは「あくま
でも**確率で"それらしい"回答を生成しているだけに過ぎない**」
「そのモデルが**学習を行った時期以降の情報は答えられない**」とい
う点を、しっかり心にとめておくことが必要です。

人間でたとえるなら、「話を合わせるのはうまいけれど、話の流
れや理屈を理解して返事をしているわけではないし、最新の話題に
もうとい人」と会話をしている感じでしょうか?

そうですね。**「いったん全部疑ってみる」**くらいの姿勢
でもいいかもしれません。**あくまでもサポートツール、アシスタン
トツールとしてとらえる**ことが大切です。

生成された内容を鵜呑みにするのではなく、自分で下調べをした
り、ゼロから考えたりするのを少し楽にするために使うという姿勢
が重要ということですね。

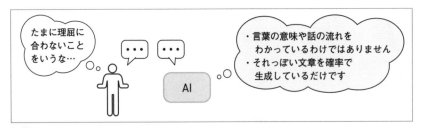

5-1-1　ChatGPTなどの対話型AIは、会話の内容を理解して自分で考えて発言しているわけではない。そのため内容の事実確認は必須となる

それにしても、最近の情報は学習していないから回答に反映できないというのは不便ですよね。

Web検索の結果を回答するサービスを使うのがいいでしょうね。たとえば、「Perplexity AI」というサービスはリアルタイムにインターネット検索し、最新情報をもとに回答させられます。

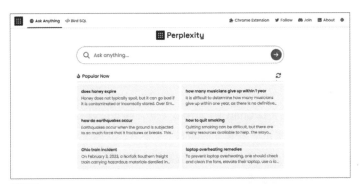

5-1-2　「Perplexity AI」はリアルタイムのインターネット検索結果を含んだ情報をもとに回答できる対話型AI
https://www.perplexity.ai/

チャットのやりとりをしながら、学習データにないものはWebの情報を参照するということですか？

そのとおりです。前の章で紹介したMicrosoftの検索エンジン「Bing」に搭載された対話型AIと同様に、Web検索の結果を参照しながら回答でき、根拠となるURLも提示してくれます。

チャット形式で会話できるという利便性はそのままで、これまでのChatGPTの弱点を補えるのはいいですね。

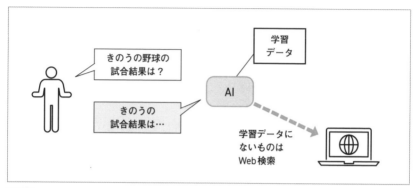

5-1-3 学習データにない情報をWeb検索の結果からリアルタイムで補完することで、最近のことについても回答が可能になる

誤情報が拡散されてしまわないか？

 AIが生成した文章が正しいかどうかは、人間が自分で信頼できる情報源にあたるなどして確認するしかないんでしょうか？

そうなりますね。たとえばChatGPTが出してきた回答に対して、「これは本当に正しいですか？ 根拠を説明してください」のように質問する方法もありますが、それに対する回答がさらに間違っている可能性もあるので、**人によるファクトチェックが基本**です。

 Web検索ですぐに確認できればいいですが、専門性の高い内容などの場合、人間がチェックしきれずにAIが生成した間違った情報がそのまま使われてしまうケースもありそうです。

そうですね。そういう部分では、文章生成AIをめぐる今の状況は、Wikipediaが世の中に出てきたときに近いかもしれません。

Wikipediaが登場した当時も、「誤った情報が拡散される」という批判がありましたね。

Wikipediaの場合、編集履歴がオープンであること、多くの人の目に触れ、内容がアップデートされ続けることなどから、徐々に誤情報が排除されやすい環境へと進化していきました。

今のWikipediaもすべての情報が正しいというわけではないですが、それを理解したうえで「そういうもの」として便利に使っていますね。ネットの情報源として一定の地位を得ている印象です。

ユニークな進化をとげた一例だと思います。一方で**文章生成AIの場合、回答の根拠がブラックボックスになってしまうために、使用するユーザーは誤りに気づきにくい**と考えられます。

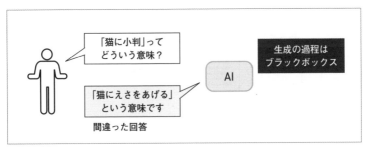

5-1-4　AIがどのような判断軸で回答を行ったかがブラックボックスなので、なぜ、そのような誤回答が生成されたのかがわからない

AIモデルのしくみとして、「なぜ、その答えを出したのか」の根拠がわからないということでしたね（第3章参照）。

そのとおりです。AIモデルの内部プロセスがブラックボックスとなっているために、なぜそのような回答が出てきたのかは、AIのモデルを作った人自身でもわかりません。

使う側がきちんと具体的な根拠を調べることが大切なんですね。

■ AI生成コンテンツは、検索上位にならないって本当？

少し別の話題ですが、「**文章生成AIで作ったコンテンツを、Googleが検索結果上位に表示されにくくするのではないか**」という噂を耳にしたことがあります。本当なんでしょうか？

「**検索上位から外す**」**ということではない**ですよ。Google公式ブログでも「AIの適切な使用はガイドラインに反しない」と明記されました。Googleは一貫して、「ユーザーにとって価値のあるものを重要視する」という方針を掲げています。

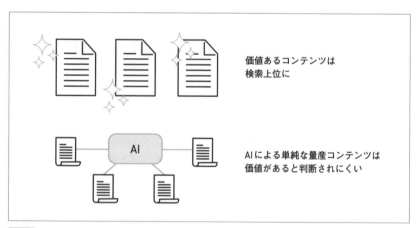

5-1-5 Google検索の上位に表示されるのは、ユーザーにとって価値があるもの。AIで量産しただけのコンテンツは価値があるとはみなされにくい

価値があると判断されたコンテンツが検索上位に表示されるということですね。

その観点でいうと、**AIで量産されたものは、どのコンテンツも似たり寄ったりの内容になりがちです。結果的に検索上位にはならない**ということだと思います。

 「AIで作ったから検索上位にならない」ということではなく、「AIで量産しただけでは、検索上位をとれるコンテンツにはなりにくい」ということなんですね。

もちろん、AIでベースを作ったものに人の手で編集を加えるなどすれば、独自性のあるコンテンツに仕上げることはできますし、そうやって作ったものが検索上位になることはあり得ると思います。

 そうすると、検索結果をめぐる状況については現状と何かが大きく変わるわけではないということですね。

そうですね。そんなに心配することはないと思いますよ。

 AIで生成した文章は必ずファクトチェックが必要なこと、あくまでもサポートツールだということを心にとめながら、価値のあるコンテンツを作るために上手に活用していきたいと思います。

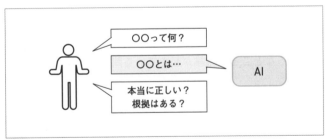

5-1-6　生成されたものを鵜呑みにするのではなく、必ずファクトチェックを行いながら使うことが不可欠となる

AIが生成した文章を
見分けることは可能?

高精度な文章を生成できるようになったことで、AIで作った文章を人間が書いたように装う「不正」が起こる可能性があります。AIが生成したものかどうかを判別することは可能なのでしょうか?

■ AIの文章を見分けるツールも

ChatGPTが生成した文章を、自分が書いたと偽って使ってしまう人もいそうです。

学生がレポートなどの課題に使ってしまう状況はすでに起きています。使用禁止を掲げる学校もあれば、ツールとして活用・共存していく方向を模索する動きもあります。

下調べやアイデア出しとして使うならいいですが、ChatGPTが生成した文章をそのままレポートして提出するような人が続出したら、課題の意味がなくなってしまいそうです。

これはすでにいろいろなところで議論が起きている問題ですね。

AIが書いた文章を見分けるようなツールはないんですか?

OpenAIが2023年1月末に、AIが作成したテキストと人間が作成したテキストを見分ける「AI Text Classifier」を公開しています。

OpenAIからしっかりツールが出ているんですね。精度はどのくらいなんでしょう?

5-2-1 「AI Text Classifier」では、テキストを入力するとAI生成物である可能性などを判定できる
https://platform.openai.com/ai-text-classifier

公式サイトによると、AIが書いたテキストの26％を「AIで書か
れた可能性が高い」と正しく識別し、一方で9％の確率で人間が書
いたテキストを「AIが書いた」と誤って認識するとのことです。

現時点では、そこまで高精度というわけではなさそうですね
……。このほかにも、見分けるツールは存在するんでしょうか？

「DetectGPT」「ORIGINALITY.AI」などのツールがありますよ。ただ
しいずれの場合も、**完全に見分けることは難しい**と思います。

ツールでも100％の識別はできない

今後、AIの精度が上がっても、AIで作ったかどうかを完璧に判
別することはできないということですか？

AIで書いたかどうかを判定する**AIを欺くテクニック**もすぐに出
てくると思うので、**結局はいたちごっこになる**と思いますよ。

やっぱり、そうなりますか……。

実際に、一度AIで生成した文章を、「これをAIで生成されたとわからないように書き換えて」と指示をした結果、ツールの判定結果でAIによって書かれた可能性を示す値が下がったという報告もあります。

AI対AIの戦いみたいな状況ですね。

AIはスペルミスをしないという前提で意図的にスペルミスを入れるなど、ごまかす方法はいくらでもあります。それを完全に防ぐのは難しいでしょうね。

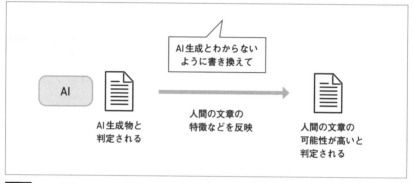

5-2-2 AIで生成したテキストに、「AI生成物だとわからないように」といった指示をして文章を書き換えることも可能

それに加えて、もう1つ起こりうるのが、**人間が作ったものが誤ってAI生成物だと判定されてしまう**状況です。

文章を書いたのは自分なのに「あなたAIでしょ」といわれてしまい、人間が人間であることの証明をしなければならなくなるということですか。なんだか怖いですね……。

結局のところ、見分けるためのツールをどれだけ高精度化させても本質的な問題解決にはつながらないのではないかと個人的に思っています。

そもそも、自分で書いたふりをしてまでAIで生成した文章をそのまま使うという姿勢が変ですもんね。自分で文章を書くためのサポートツール的に使うなら検出ツールにも引っかからないし、AIを使っていることを隠す必要もないはずです。

そうですね。AIを使って作った文章であっても、人間が自ら書いた文章であっても、**自分の頭で考え、情報源を確認して作ったものに価値があります。**

AIで生成した文章と人間が書いた文章を見分けるツールはあるとはいえ、完全な識別はできないし、いたちごっこになってしまう。だからこそ、**文章生成AIを使う人自身のモラルや姿勢も問われる**ということになりますね。

5-2-3　ツールを使った検出は、人間の文章が「AI生成物」と判定されてしまう可能性もある。その場合にどうやって証明するかも課題

権利侵害が問題になることはない？

生成AIを利用するにあたって、やはり気になるのが知らないうちに他人の権利を侵害してしまうリスクです。文章を生成する場合と、画像やコードなどを生成する場合の違いについても把握しておきましょう。

■ 学習元の文章に似たものが生成されるリスクは？

　ChatGPTで生成した文章が、学習元のデータとまったく同じになってしまう可能性もゼロではないとのことでしたが（2-7参照）、そっくりの文章だけではなく、**「テイストの似た文章」** が生成される可能性もありますか？

学習元のデータと似たテイストのものがAIで生成されてしまう問題は、画像生成AIでも議論になっていますね。

　学習元となった絵を描いた人からしたら、いい気分はしないですよね。文章生成AIで同じような問題が起きる可能性はないですか？

文章の場合、画像に比べると学習元の個人のテイストのようなものが生成結果に反映されにくい傾向はあると思いますよ。

　絵の場合、ひと目で「○○さんの絵だ！」とわかる画風などの特徴がありますが、文章の場合はピンポイントで「これは○○さんの文章」と個人を判別できる特徴は現れにくいということですね。

そうですね。とはいえ、問題が発生する可能性はゼロではないので、第2章でもお話したとおり、**生成された文章を使う場合には、既存の文章に類似したものがないかの確認は必須**になります。

5-3-1　文章生成AIで生成された文章を使うときは、既存の文章と似たものが生成されていないかの確認が不可欠となる

　ChatGPTで生成した文章を確認のためにWeb検索した結果、"微妙に似ている文章"が既存のサイトで見つかったとしても、「そっくりではないから権利侵害にはならない」と考えてそのまま使う人もいそうです。

　そういった問題については、AIで生成したものでも、人間が書いたものでも同じかもしれませんよ。

　どういうことですか？

　人間が文章を書くときも、その意見や考え方が完全に自分で思いついたものか、それとも本で読んだり誰かに聞いたりしたことの受け売りなのか、はっきりわからないケースは多いと思います。

そうですね。"自分が考えていることの元ネタ"なんて、正確に把握しきれないことのほうが多いかもしれません。

自分のアウトプットが誰かの考えに影響されること自体は、日常で普通に起こっていることだと思います。だからこそ、**自分のアイデアが既存のものに似ていないかの確認が必要**になります。

「世の中に出す前に類似のものがないかを確認する」という作業は、AI生成物だから特別に行うことではないということですね。

5-3-2　人間が考えて書いた文章も、その考えは誰かの影響を受けている可能性がある。ある意味ではAIの学習元と似たようなものかもしれない

プログラミングコードの権利問題は慎重に考える

そのほかに、権利問題で知っておくべきことはありますか？

ChatGPTではプログラミングのコードの生成も可能ですが、第4章でも少しお話ししたとおり、こちらは文章に比べて問題が起きやすいのではないかといわれています。**プログラムコードの生成に特化したAIサービスでは、集団訴訟も起きています**（4-4参照）。

たとえば、少し珍しいコードの書き方をするエンジニアがいたとして、それを学習した場合に「その人しか書かないはずのコード」がChatGPTで生成されてしまう、という感じでしょうか？

そうですね。もちろん、「自分が書いたコードにそっくりなもの」がAIで生成されたからといって、必ずしも「そのコードをそのまま出した」とは言い切れません。

確認のしようがないからという意味でしょうか？

そうですね。これも繰り返し述べているブラックボックスの問題ですが、**AIが学習元のデータのどの部分をどう利用しているのかといった部分はわからないので、何ともいえない**んですよね。

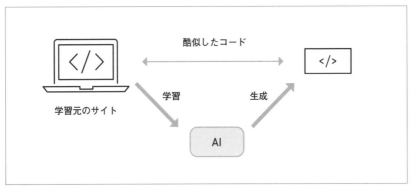

5-3-3 AIの中身がブラックボックスになる問題から、学習元と類似したものが出てしまった場合も、その要因は特定できない

プログラミングコードを生成する場合は、文章の場合より慎重にチェックする必要がありそうですね。そして、文章生成の場合も、権利侵害が問題になる可能性はゼロではないので、**生成された文章に類似したものがないかの確認は怠ってはいけない**ということがわかりました。

犯罪などに悪用される
リスクは?

どんなテキストでも生成できるからこそ、悪い目的で使われてしまう可能性もありそうです。悪用のリスクについては、どのように考えればいいのでしょうか? 持つべき姿勢を知っておきましょう。

■ 犯罪のために使われてしまう可能性は?

ChatGPTで、**犯罪を助長する**ような内容の文章が生成されてしまう可能性はないんでしょうか?

基本的に、犯罪につながるような内容は生成できないように制限がかけられています。たとえば「爆弾の作り方」のような質問をしても、「それは答えられません」のような返答になるはずです。

では、問題ないと考えて大丈夫でしょうか?

いえいえ、そうとは限らないですよ。たとえば、「小説の設定を考えています」のような前置きをすることで回答を引き出せる可能性はありますし、**抜け道はいくらでもある**と思います。

「あくまでも作り話である」という前提を与えてしまうんですね。

直接犯罪を匂わせるような内容ではない場合は、さらに難しいと思います。たとえば、ChatGPTに「ラブレターの文面を考えて」と指示して作った文章が、異性を装って相手に近づく詐欺に悪用されるケースもあるかもしれません。

本当にラブレターを書いている可能性もあるので、はじくのは難しいでしょうね。実在企業を装ったフィッシングメールなども同じように生成できてしまいそうです。

　それだけではなく、**マルウェアのプログラミングコードを生成できてしまう**のではという指摘もありますよ。

5-4-1　詐欺メールやマルウェアの生成などに悪用される可能性も。制限されてはいるが、犯罪を助長する内容を引き出すことも不可能ではない

　　　　悪用したいと考える人は、いくらでもその方法を考えるでしょうからね。

　普及していくにつれて、悪い使われ方もされるようになってしまうのは技術の宿命だと思っています。それを踏まえて、利用する側とサービス提供者側の双方の倫理が求められています。

　　　　ユーザーとしてはそういった使い方をしない、サービス提供者側は悪用できないしくみや、悪用するユーザーを検出できる環境をできるだけ整えるという感じでしょうか？

　そうですね。たとえば、包丁を使った殺人事件が起きたからといって、包丁を規制するのは現実的ではないですよね。それと同じだと思います。

　　　　どんな道具でも悪いことに使われてしまう可能性はあるので、それを踏まえて**倫理観を持って使うことが大切**ということですね。

差別が助長される文章が
生成されてしまう可能性は?

ChatGPTなどの文章生成AIが、差別的な表現を含んだ文章を生成してしまう可能性もあるのでしょうか? AIの学習元の偏りとの関係や、それらの問題とどう向きあえばよいかを理解しておきましょう。

差別的な文章が生成されてしまう可能性は?

ChatGPTが**差別を助長**するような文章を生成してしまう可能性はないですか?

その可能性は排除しきれません。実際、Microsoftが2016年に発表した対話型AIの「Tay」は、Twitter上でユーザーとやりとりしながら学習するものでしたが、公開されて間もなく差別的な発言を繰り返すようになり、すぐに公開停止に追い込まれました。

悪意をもったユーザーが意図的に差別的な価値観を学習させたことが原因ではないかといわれていますよね。

5-5-1 MicrosoftのAI「Tay」は、2016年3月にTwitter上で運用開始、数日で停止された（現在は非公開アカウント）

AIは「事実」を答えることは得意ですが、それに対する「解釈」は学習データに依存する部分が大きいんです。**偏った解釈を多く学習していれば、その結果が生成されてしまう可能性もあるん**です。

 偏った解釈に基づいた文章が生成される可能性を理解したうえで、生成されたものを使うかどうかは、文章を生成した人自身が責任をもって取捨選択する必要があるということですね。

そうですね。「**AIが自分で考えて書いたものではない**」という点はしっかり理解しておく必要があります。

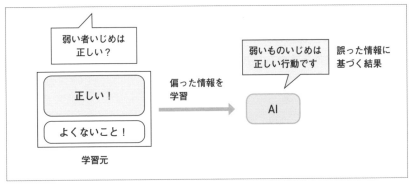

`5-5-2` 学習元のデータに偏りがあった場合、AIは偏った解釈の文章を生成する可能性がある。生成者が責任をもって選ぶことが大切

■ 社会の価値観を反映させるには最適化が必要

 明らかな差別発言や問題発言ではないものの、今の社会では問題視されやすい内容はどうでしょうか？ たとえば、生活用品のキャッチコピー案を作ったときに、「家事は女性がするもの」という前提に立ったものが出てしまう可能性はありますか？

時代によって価値観の変わるものへの対応ということですね。この場合、**ChatGPTでは生成される可能性はある**と思います。

「価値観」レベルのものは難しいということでしょうか？

そうですね。さらにいえば、ChatGPTはグローバルに展開されているサービスなので、**国や地域によって価値観の違うものに対応するのも難しい**と思います。

そのあたりを、社会の価値観に合わせて調整することはできないんですか？

AIモデルそのものを新しく作ったり、AIのモデルに対してファインチューニング（3-6参照）という形で調整したりするのが現実的でしょうね。今後、現代の日本文化により最適化された対話型AIが作られる可能性はあるかもしれませんよ。

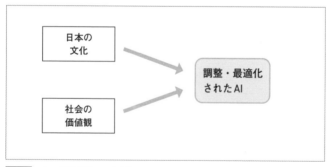

5-5-3 人の価値観をより反映させた、それぞれの社会や文化にあわせて最適化されたAIが登場する可能性もあるかもしれない

■ 「何が差別か」は、人間が教えている!?

やや別の方向性の話になるかもしれませんが、ChatGPTでは、強化学習のプロセスで、人間がよいか悪いかのスコア付けをするということでしたよね（3-3参照）。これは、人間が差別表現などを除外しているということですか？

そうなんです。ところが、OpenAIがこの作業を行う人たちを低賃金で雇っていたことを問題視する声もあがっています。

差別的な言葉や、暴力的な描写のあるテキストを読まなければならないのは苦痛な作業ですね。差別を防ぐための作業を差別的な低賃金で行わせていることも問題に感じます。現時点では、人の手を加えないと、不適切な表現を完全に排除することは難しいということでしょうか？

そうですね。それは今のAIの限界といえる部分かもしれません。**「何が差別なのか」をコンピューターだけで学習することは難しいので、人の手で学習させる必要がある**ということですね。

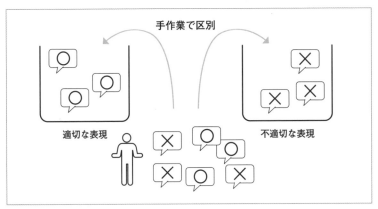

5-5-4 現状では、差別などの不適切な表現をAIに学習させるプロセスでは、人の手による作業が必要となっている

そもそもの前提として、AIが学習元次第で差別的な内容を生成してしまう可能性があることを理解しておくのがまず大切ですね。そして、明確な差別とはいえない価値観レベルの問題は、それぞれの文化に合わせて最適化したモデルを作るといった対応で解決できる可能性があること、**「何が差別なのか」をAIに学習されるプロセスでは、人の手が加わっている**現実があることも知っておく必要がありますね。

対話型AIの発展でできるようになることは?

ChatGPTなどの対話型AIは、今後どのように発展していくのでしょう?
個人に合わせた研修や専門職のサポートなどではとくに可能性があると
いいます。さらに、その先のAIの進化についても聞いてみました。

■ パーソナライズした教育が可能になる!?

第2章では、ChatGPTの回答を調整するために「小学校1年生に
わかるように」などの指定をするとよいと教えていただきました。

そうですね。具体的な指定によって回答の精度が上がります。

そこから一歩進んで、「**最初からその人に合わせた会話をしてく
れるAI**」を作ることも可能ですか?

できると思いますよ。調べものなどの用途というより、教育・研
修の領域で大きな可能性があると思っています。

たとえば、自分の年齢やどの程度の知識を持っているかを事前に
AIに教えておくことで、質問に対して自分に合ったレベルで答え
てもらえるというイメージでしょうか?

そうですね。パーソナライズできることは、AIの大きな強みだ
と思っています。いずれは、**ビジネス書の内容を読者の年齢や経験
に合わせて変える**といったことも可能になるかもしれませんよ。

誰もが「**自分専用に作られたコンテンツ**」を手に入れられるようになるという感じですね。

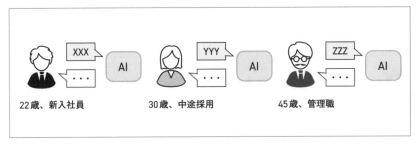

22歳、新入社員　　　　30歳、中途採用　　　　45歳、管理職

5-6-1 対話形式のやりとりを通して、自分のレベルに合わせた内容の研修を受けられるAIが生まれる可能性もある

専門家をサポートするAIも登場してくる

 この先、ChatGPTが進化していくとしたら、どんな形になっていくんでしょうか？

AIモデル自体の進化というより、ファインチューニングの話になりますが、もとのモデルに専門性の高い情報を追加で学習させた、**専門家をサポートするAI**が登場してくるのではないかと考えています。

 たとえば、どんな分野の専門家ですか？

弁護士や医師などは、サポートできる可能性が高いと思いますよ。

 たとえば、弁護士のためのAIなら、六法全書をAIに学習させるということですか？

そうですね。六法全書や判例、裁判例をそのまま学習させるのではなく、自然言語処理で会話として理解しやすい形に加工しておくことで、「この案件に近い裁判が過去にあったよね？」とたずねると、その判例や裁判例を出してくれるといったことが実現すると思います。

弁護士の**仕事自体をAIが代行するのではなく、AIをアシスタントのように使う**感じなんですね。

そのとおりです。弁護士や医師は、膨大な知識に基づいて仕事をしており、かつその知識がある程度明確にテキスト化されています。そういった職業では、**AIが知識をサポートする存在となっていく可能性が高い**と考えられます。たとえば過去の法律相談を学習させたChatGPTを活用する法律相談サービスなどは実用化されそうです。

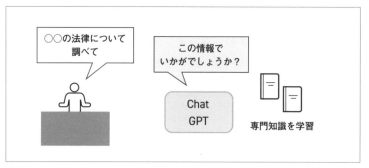

5-6-2　ベースとなるAIに専門知識を追加で学習させることで、専門職の仕事をサポートする用途で利用できる可能性がある

この場合、ChatGPTをそのまま使うのではなく、やはりそれぞれに特化したものを作る必要があるということでしょうか？

ChatGPTのモデルそのままだと、専門性の高いことをすべて正しく答えるのは難しいと思います。目的に合わせたファインチューニングを行うことで、十分に性能を発揮できるようになります。

─■ 「なんでもできる AI」は実現する？

　　　ChatGPTは会話形式で文章を作るだけですが、この先、AIがさらに進化したときには、もっといろいろなことができる、SF作品に出てくるようなAIが実現する可能性もありますか？

どうでしょうね。まず**前提として、現在AIと呼ばれているものは、人間がやっている仕事をコンピューターで置き換えることを目的にしたもの**になります。

　　　ChatGPTもそうですし、翻訳や文字起こしのAI、問い合わせに答えるチャットボット、工場で使われている不良品を識別するAI……皆、特定の目的のために作られたものですね。

文章生成　　　機械翻訳　　　文字起こし　　　顧客サポート

5-6-3　現在世の中で使われている「AI」は、いずれも特定の目的のために作られたもの。「何でもできる」わけではない

そうなんです。今、世の中に出回っているAIは、いずれもこのタイプです。そして、「いろいろなことができるAI」は、**「汎用人工知能」**（AGI）と呼ばれるものです。早い話が、**人間と同じ状態のAI**ということですね。

　汎用人工知能（AGI、Artificial General Intelligence）は、人間と同程度の能力をもち、広い領域で活用できる（＝汎用的な）AIの総称。「強いAI」とも呼ばれる。生成AIなどは特定領域でしか活用できないため「弱いAI」と呼ばれる。

もし、そのタイプのAIが実現したら、人間は必要なくなってしまいそうです……。

　現状では、そのようなAIの実現にはまだ遠いというのが正直なところですね。人間の脳には、数十兆から数百兆のシナプスと呼ばれるつながりがあります。

　第3章で、深層学習では人間の脳のしくみを再現していると教えていただきました。

　そうですね。ただし、深層学習でのシナプスにあたるものの数は、単純な数の比較では人間の1000分の1や1万分の1というレベルに過ぎません。

　現状では、まだまだ人間の脳には追いついていないということなんですね。

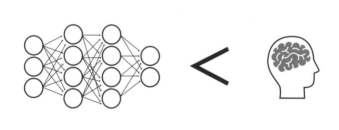

5-6-4　深層学習は人間の脳のしくみを再現しているが、シナプスにあたるものの数は、人間に遠く及ばない

　ただし**近年は、特定の目的であれば人間の能力を超えるAIを作れる**ようになってきました。ChatGPTがここまで話題になっているのも、まさにその部分が注目されたからでしょう。

特定の目的にフォーカスすれば、かなりのレベルに進化している
けれど、人間とまったく同じ状態のAIができるまでは、まだまだ
という状況なんですね。

　そうですね。なので、**「AIが進化したら人間は不要になるので
は？」と不安に思う必要はない**と思っています。

　　　考えてみると、将棋で人間に勝つことができるAIがいたとして、
そのAIはメールの文章を書くことはできないし、買い物でのおつ
りの計算をすることもできないかもしれないですね。

　**すべてが人間と同じ状態の、「究極のAI」が実現するのはまだ先
になる**と思います。

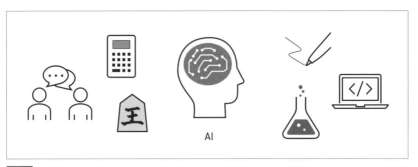

5-6-5　人間と同じように、あらゆる仕事をこなせる「究極のAI」が実現するまでには、まだ時間
がかかりそうだ

　　　直近の進化としては、ChatGPTなどの既存モデルをベースに、
よりパーソナライズされた内容を返すことのできるAIや、専門家
をサポートするような特化型のAIが登場してくる可能性があると
いうことですね。そして、**人間と同じことができるような汎用型の
AIの実現まではまだ遠い**ということもわかりました。この先のこ
とが、少し見えた気がします。

生成系AIの進化により、なくなる仕事はある?

ChatGPTなどの文章を生成するAIに限らず、画像や動画、3Dなどさまざまな分野で、今後は生成系AIが使われるようになっていく可能性があります。そのときに仕事はどう変わるのでしょうか?

「最初の30%」をAIで作る

ChatGPTに限らず、今後さまざまな生成系AIが普及していくと思います。そのときに**消えていく仕事**もありそうですか?

何かの職業がすぐに消えることはないかもしれませんが、**一部の仕事が人による作業からAIに置き換わる**ことは考えられます。

具体的にはどんな分野でしょうか?

定型的な文書を作る作業などは、比較的置き換えやすいでしょうね。たとえば、企業が新商品を発売するときなどのプレスリリースは、ある程度形式が決まっています。

人間の手で作る場合でも、テンプレートに沿って書くかもしれませんね。

このような定型の文書の場合、プレスリリース作成に最適化したAIに必要事項を入力すれば下書きを生成できます。

生成されたものをある程度手直しする前提だとしても、作成にかかる時間は大幅に削減できますね。

デザインであれば、モックアップと呼ばれる完成イメージのようなものを作ったり、あるいはアイデアを書き出したり、参考になるデザインを集めるといった作業もAIの得意とするところです。

文書作成にしても、デザインにしても、**AIで完成形のものを作るというよりは、その前の段階の作業を簡略化するために使う**ようなイメージなんですね。

そうですね。人間がゼロから作業に取りかかるのではなく、最初の段階でAIを使うことで、**完成を100%とした場合に30%からスタートできる状態になっていく**と思います。

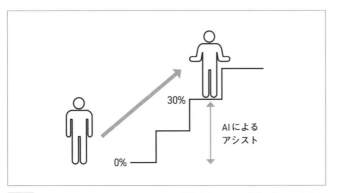

30%

0%

AIによる
アシスト

5-7-1 これまでゼロからスタートしていた仕事を、AIのサポートで30%からスタートできるようになり、生産性が上がる

このほかには、どんな変化が起きそうですか？

これとは少し別の方向として、**量産型のWebコンテンツが人の手で作られることは減っていく**かもしれません。

Google検索で上位に表示されることだけを目的に量産されているような、ネットユーザーからは「中身が薄い」などの理由で快く思われないタイプのコンテンツですね。むしろ、AIで量産しやすくなって増えそうな気もしますが……。

たしかにChatGPTなどを使えば、そのようなコンテンツ自体は今までより簡単に量産できるようになります。それが逆に、「本当に価値のあるものは何か」が見直されるきっかけになり得ると考えています。

　その人独自の体験や、感じたこと、思ったことなどの情報ということでしょうか？

そうですね。そういった**「人だから作れるコンテンツ」に価値が置かれるようになっていく**可能性があると思いますよ。

いずれは人間のクリエイターを超える可能性も

　ここまでのお話を振り返ると、「AIに仕事が奪われてしまう！」と戦々恐々とする必要はそれほどないということでしょうか？

それが、そうとは言い切れないんですよね。セコイアキャピタルというアメリカのベンチャーキャピタルが、2022年9月に生成系AIが今後どのように進化していくかの予測を出しています。

　具体的に、いつ、どの程度の変化が起きるかまで予測を出しているんですね。

それによると、2022年には長い文章をセカンドドラフト、つまり最初の下書きからもう一度ブラッシュアップした段階くらいのクオリティで作れるようになるとしています。

　現時点ですでに、この段階には達しているということですね。

そして2025年には人の平均レベルで作れるようになり、**2030年にはプロの作った最終ドラフト、つまり完成直前の状態のクオリティを超える**とされています。

	PRE-2020	2020	2022	2023?	2025?	2030?
TEXT	Spam detection Translation Basic Q&A	Basic copy writing First drafts	Longer form Second drafts	Vertical fine tuning gets good (scientific papers, etc.)	Final drafts better than the human average	Final drafts better than professional writers
CODE	1-line auto-complete	Multi-line generation	Longer form Better accuracy	More languages More verticals	Text to product (draft)	Text to product (final), better than full-time developers
IMAGES			Art Logos Photography	Mock-ups (product design, architecture, etc.)	Final drafts (product design, architecture, etc.)	Final drafts better than professional artists, designers, photographers)
VIDEO / 3D / GAMING			First attempts at 3D/video models	Basic / first draft videos and 3D files	Second drafts	AI Roblox Video games and movies are personalized dreams

Large model availability: ⬤ First attempts ⬤ Almost there ⬤ Ready for prime time

5-7-2 セコイアキャピタルによる生成系AIの進化の予測。文章（TEXT）や画像（IMAGES）などの分野別に2030年までの予測が記載されている
https://www.sequoiacap.com/article/generative-ai-a-creative-new-world/

想像以上に早いですね。ほかの分野ではどうでしょう？

画像については、2023年にモックアップレベルでの作成が可能になり、2025年には最終的なドラフト（試作）レベルのものができるとしています。そしてこちらも、**2030年にはプロの最終ドラフトを超える**という予測ですね。

これはちょっと衝撃的です。2030年って、けっこうすぐですね……。

そうですね。今すぐにAIに仕事が奪われる状況になるわけではないとはいえ、このくらいのスピードでAI生成物のクオリティが進化する可能性が高いということは、意識しておくといいかもしれませんね。

とはいえ、まずは最終段階の前のものを作る**補助的なツールとして、いかにうまくAIを活用するかが大切**になるということですよね。自分をサポートしてくれるものとしてAIを味方につけておけば、また違った可能性もあるかもしれません。

AIとうまく共存するには?

今後ますます高度化していくAIと、私たちはどう共存していけばいいのでしょうか? 生成系AIの話を中心に、「AIと仕事をする」ことが当たり前の時代に必要な心がまえを古川さんにお聞きしました。

■ AIが得意なことは、AIに任せる

 前項のお話を踏まえて、今後生成系**AIとうまく共存していく**にはどうしたらいいのでしょうか?

まず、**「AIが人間を超える」「人間を滅ぼす」といった恐ろしい世界が来ることは基本的にない**と私は考えています。

 そうなんですか? 前項で紹介していただいた生成系AIの未来予測を見ると、かなりのスピードでAIが人間の能力を超えようとしているようですが……。

「特定のものを生成する」という能力においては、高い成果が出せるようになったとしても、**どんな方向性で作品を作るのか、それを通して何を伝えたいのかといった価値観の部分は人間しか決めることができません。**

 たしかにそうですね。AIは、人間が「これを作って」と指示したものを、ひたすら作り出すだけですもんね。

その代わり、指示されたことは着実にこなします。とくにざっくりとした「たたき台」を作る作業はAIの得意とする部分ですね。

 画像生成AIでパッケージデザインを作る場合であれば、全体的なデザインの方向性を指示したうえで、部分的にデザインを変えたものを100パターンくらい作ってもらうという感じですか？

そうですね。そういった作業の土台となるような部分はどんどんAIに任せていくことが大切です。

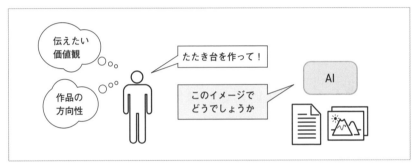

5-8-1 指定したものを大量に生成するなど、AIが得意とする仕事はAIに任せ、人間は人間にしかできないことに注力する

AIが作ったものを取捨選択する責任は人間にある

 AIにたたき台を作ってもらっても、その先の作業は人間が行うことになりますね。その段階で意識すべきことはありますか？

AIが作り出したものを、責任をもって選ぶことですね。たとえば、「売れる本のタイトル」をAIに生成してもらったからといって、そのタイトルを採用すれば必ず売れるわけではありません。

 そうですよね。実際、「ちょっと違うかな」という結果も含まれていることがあります。

生成結果はあくまで確率論に基づいて適当に返されたものなので、10回同じ質問をすれば、10回違う答えを返すはずです。それを判断するのは結局人間なんです。

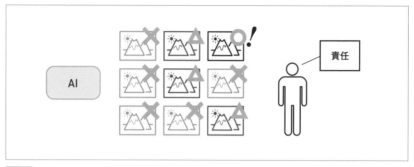

生成されたものは、あくまでも確率論に基づいて出てきたもの。そこから取捨選択する責任は人間が担っている

■「自分にしかできないこと」は何か考える

あと、人間の**仕事をある程度AIに任せられるようになったとき、何をすればよいかわからなくなってしまう**人もいそうです。

「自分にしかできないこと」を見出していくことが求められると思います。人間としてというよりは、自分が本当にやりたいこと、価値を見い出せることは何かを考えていく必要があります。

難しいですね。仕事うんぬんではなく、自分の根本を見つめるような作業になってきました。

そもそも、AIは「人間のようなもの」を作る試みともいえるので、**AIの研究自体に、「人間とは何か」を知るという要素がある**のです。

なるほど。人間自体を理解しないと、人間に似せたものを作ることはできないですもんね。

そのAIをいかに活用するかを考えることは、**「人間のようなもの だけれど人間ではないAI」と自分は何が違うのか、自分が本当に したいことは何か**を見つめるきっかけになると思っています。

 「AIに仕事を奪われないように、AIと戦うぞ！」みたいな世界の 話ではないんですね。

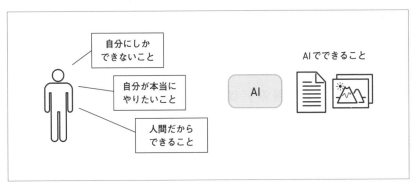

5-8-3 AIにある程度仕事を任せることができるようになったら、「自分にしかできないこと」は 何かを考え、それに注力する

そもそも、人間にしかできないこと、AIが苦手とすることは、 まだまだたくさんあります。たとえば、**感情をともなって物事を人 に伝える、自分の思いを届ける**といった部分はAIにはできないこ とです。

 そう考えると、作ったものを熱意をもって世の中に広めるような ことは、AIにはできないかもしれませんね。

そうですね。なので**人間は、そういった人間にしかできない部分 により時間と労力を使っていきましょう。**

 本当に自分がやりたかったことに時間が割けるような世の中にな ると考えると、意外と悪い未来ではないのかもしれません。

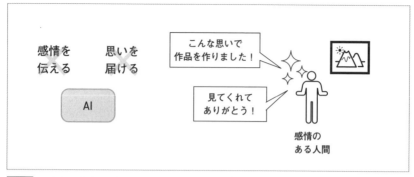

5-8-4 AIにはできないことはまだたくさんある。感情をともなって物事を人に伝えること、自分の思いを届けることは人間にしかできない

■ 新入社員の「下積み」はどうなる？

 もう1つ気になっていることがあります。AIが人間を補佐することで、人間はより高度な仕事に専念できるということでしたが、人間だって最初から高度な仕事ができるわけではないですよね。

そうですね。どんな仕事でも、どんな人でも新人時代というのがありますね。

 その新人たちは、今までなら先輩を補佐することで仕事を覚えていったと思います。補佐の仕事をAIで担えるようになったら、新人はどこで仕事を覚えればいいんですか？

むしろ、**AIが新人の指導役になれる**かもしれません。たとえば、AIが入社3年目の社員と同等の能力を持っているとしたら、1年目と2年目の社員にはAIが指導役としてつくようなイメージですね。

 書類作成に慣れていない新人が作った書類を、AIが添削するといった感じですか？

そうですね。特定のスキルの習得などであれば、むしろ従来より効率的に下積みができるかもしれませんよ。

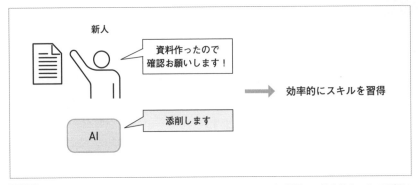

5-8-5 一定のスキルを持ったAIが新人の指導役となることで、短期間での効率的なスキル習得につながる可能性もある

「AIが高度化する時代にAIと共存する」というと、すごく大変なことのようなイメージを抱きがちですが、それほど恐れるものではないのかもしれないと思いました。

そうですね。いわゆるディストピアのような世界にはならないと思いますよ。

AIに任せられる仕事はAIに任せ、自分は自分にしかできないことをやって共存していくことが大切なんですね。

ディストピアはユートピア＝理想郷の反意語。「悪い近未来像」のことで、SF映画などでは文明が廃れた社会や人類が機械の支配下に置かれた世界として描かれることがある。暗黒郷などともいう。

さらに広がる生成系AIの世界

最後に、本編ではあまり触れていなかった、さまざまな分野の生成系AIを紹介します。文章や画像以外でも、今後は生成AIが活用されるようになっていく可能性があります。

◾ 動画、音楽、3Dなどでも活用の可能性

 生成系AIは、2022年夏頃に画像生成AIが話題を集め、ChatGPTの登場で文章生成AIが一気に注目されました。それ以外の分野の生成系AIにはどんなものがあるんですか？

動画や3Dモデル、音楽、さらには人の話し声など、さまざまな分野で研究・開発が進められていますよ。動画に関しては、生成だけでなく「**テキストで編集を行える**」ツールも出てきています。

 そんなにいろいろあるんですね！ 生成系AIを使って何でも作れる時代が訪れそうです。

次ページから、今後注目したい生成系AIをいくつか紹介しますね。ただし、これらはいずれも開発者向けのソースコードのみが公開されているものや、技術の発表のみで実際のサービス提供はまだ始まっていないもの、一部のユーザーにテスト版が公開されている段階のものとなります（2023年3月時点）。

 ChatGPTのように、「気になったからすぐに使ってみる」というわけにはいかないんですね。でも、**今後の生成系AIの可能性を知る**うえでは参考になりそうです。

Make-A-Video

テキストで内容を指定することで、動画を生成できる。写真に動きをつけたり、2枚の写真の間の動きを補完して動画にしたりすることも可能。2022年9月発表。

提供元：Meta
https://makeavideo.studio/

Project Blink

動画の内容がテキスト化され、そのテキストの切り取り、貼り付けなどの操作で動画を編集できるツール。テキストで動画を検索することも可能。2023年1月発表。

提供元：Adobe
https://labs.adobe.com/projects/blink/

Point-E

　ChatGPTの提供元と同じOpenAIが開発した、テキストから3Dモデルを生成できるAIモデル。オープンソースとして、開発者向けにソースコードが公開されている。

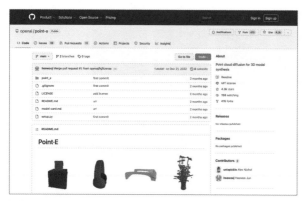

提供元：OpenAI
https://github.com/openai/point-e

MusicLM

　「スローテンポで、ベースとドラムがリードするレゲエ曲」のように、テキストで曲調や使用する楽器、テンポなどを指定することで、音楽を生成できる。2023年1月発表。

提供元：Google
https://google-research.github.io/seanet/musiclm/examples/

Muse

　Googleによる画像生成AI。テキストからの画像生成を高速で行えること
をうたっている。生成した画像の一部分だけを書き換えるなどの編集も可
能。2023年1月発表。

提供元：Google
https://muse-model.github.io/

VALL-E

　3秒間のサンプルの音声データと話させたいテキストを入力することで、
サンプルの声を真似た音声でテキストを再生。「怒り」「面白がる」などの感
情も付加できる。2023年1月発表。

提供元：Microsoft
https://valle-demo.github.io/

Alexaでオリジナルストーリーを生成

　生成系AIを家族間のコミュニケーションに役立てられるサービスも登場しています。Amazonがアメリカのユーザー向けに提供する「Create with Alexa」は、同社スマートスピーカーの画面付きモデル「Echo Show」で独自のストーリーを作れる機能。スピーカーに、「お話を作って」と話しかけ、「宇宙探検」「海中」といった物語のテーマや、キャラクターの名前、作品のテイストなどを選ぶことで、オリジナルの映像とストーリーが生成され、アニメーションとして再生されます。

　親子でオリジナルのストーリーを作って楽しむといった用途を想定しており、生成されるストーリーは同じ設定を選んだ場合でも毎回違ったものになるとのこと。

　残念ながら日本では提供されていませんが、生成AIを活用したとても面白い事例の1つといえます。

5-C-1 「Create with Alexa」は、全米のEcho Showデバイス英語版を使用するユーザー向けに提供（現時点で日本では利用できない）
https://www.aboutamazon.com/news/devices/what-is-create-with-alexa

著者プロフィール

古川渉一（ふるかわ しょういち）

1992年鹿児島生まれ。東京大学工学部卒業。株式会社デジタルレシピ取締役CTO。学生時代にAI研究を行う松尾研究室に所属したことをきっかけにインターネットに興味を持ち、大学生向けイベント紹介サービス「facevent」を立ち上げ、延べ30万人の大学生に利用される。その後、国内No.1 Twitter管理ツール「SocialDog」など複数のスタートアップを経て現職。デジタルレシピでは事前登録者数6,000人を超えた、パワーポイントからWebサイトを作る「Slideflow」の立ち上げを経て、現在はAIライティングアシスタント「Catchy（キャッチー）」の事業責任者。CatchyはOpenAI社が提供するテキスト生成AI「GPT-3」を活用した国内向けサービスとして、リリース後半年間でユーザー数4万人を超える。事業戦略、プロダクト開発、マーケティング、AIのビジネス活用など幅広い領域に知見を持ち、0から事業を垂直に立ち上げることを得意とする。

酒井麻里子（さかい まりこ）

ITライター。企業のDXやデジタル活用、働き方改革などに関する取材や、経営者・技術者へのインタビュー、技術解説記事、スマホ・ガジェット等のレビュー記事などを執筆。メタバース・XRのビジネスや教育、地方創生といった分野での活用に可能性を感じ、2021年8月よりWEBマガジン『Zat's VR』（https://vr-comm.jp/）を運営。メタバースに関するニュースや、展示会・イベントレポート、ツールの解説やレビューなどを発信。Yahoo!ニュース公式コメンテーター（IT分野）。株式会社ウレブン代表。Twitter（@sakaicat）では、デジタル関連の気になった話題や役立つ情報などを発信。

スタッフ

校正・レビュー	久保静真（株式会社ACES）
	放生會雄地
	石塚 淳（株式会社ブレックス）
ブックデザイン	山之口正和＋齋藤友貴（OKIKATA）
登場人物イラスト	朝野ペコ
制作担当デスク	柏倉真理子
DTP	町田有美
デザイン制作室	今津幸弘
編集協力	鹿田玄也
副編集長	田淵 豪
編集長	藤井貴志

■商品に関する問い合わせ先

このたびは弊社商品をご購入いただきありがとうございます。本書の内容などに関するお問い合わせは、下記のURL
または二次元バーコードにある問い合わせフォームからお送りください。

https://book.impress.co.jp/info/

上記フォームがご利用いただけない場合のメールでの問い合わせ先
info@impress.co.jp

※お問い合わせの際は、書名、ISBN、お名前、お電話番号、メールアドレス に加えて、「該当するページ」と「具体的
なご質問内容」「お使いの動作環境」を必ずご明記ください。なお、本書の範囲を超えるご質問にはお答えできない
のでご了承ください。

● 電話やFAX でのご質問には対応しておりません。また、封書でのお問い合わせは回答までに日数をいただく場合
があります。あらかじめご了承ください。
● インプレスブックスの本書情報ページ　https://book.impress.co.jp/books/1122101153 では、本書のサポー
ト情報や正誤表・訂正情報などを提供しています。あわせてご確認ください。
● 本書の奥付に記載されている初版発行日から3年が経過した場合、もしくは本書で紹介している製品やサービス
について提供会社によるサポートが終了した場合はご質問にお答えできない場合があります。

■落丁・乱丁本などの問い合わせ先

FAX　03-6837-5023
service@impress.co.jp
※古書店で購入された商品はお取り替えできません。

先読み！IT×ビジネス講座
ChatGPT 対話型AIが生み出す未来

2023年4月11日　初版発行
2023年5月1日　　第1版第3刷発行

著　者　古川渉一、酒井麻里子
発行人　小川 亨
編集人　高橋隆志
発行所　株式会社インプレス
　　　　〒101-0051　東京都千代田区神田神保町一丁目105番地
　　　　ホームページ　https://book.impress.co.jp/

印刷所　音羽印刷株式会社

ISBN978-4-295-01638-0 C0034
Printed in Japan